DINHEIRO:
OS SEGREDOS DE QUEM TEM

GUSTAVO CERBASI

DINHEIRO:
OS SEGREDOS DE QUEM TEM

Copyright © 2003, 2007, 2008, 2010, 2016 por Gustavo Cerbasi

Todos os direitos reservados. Nenhuma parte deste livro pode ser utilizada ou reproduzida sob quaisquer meios existentes sem autorização por escrito dos editores.

ORIENTAÇÕES AO LEITOR: As sugestões feitas neste livro são baseadas em regras de aplicação geral e não podem acarretar qualquer tipo de responsabilidade do autor ou dos editores. O propósito das orientações é auxiliá-lo em suas reflexões e motivá-lo a agir ativamente em busca de transformações positivas para sua vida. Conte sempre com um especialista certificado antes de realizar investimentos, adotar estratégias complexas e de risco, contratar seguros ou planos de previdência e adquirir bens de alto valor. O especialista é a pessoa qualificada para ajustar as reflexões aqui tratadas às particularidades de cada indivíduo.

revisão
Hermínia Totti e Luis Américo Costa

projeto gráfico e diagramação
DTPhoenix Editorial

capa
DuatDesign

imagem de capa
Iaroslav Neliubov/Shutterstock

impressão e acabamento
Lis Gráfica e Editora Ltda.

CIP-BRASIL. CATALOGAÇÃO NA PUBLICAÇÃO
SINDICATO NACIONAL DOS EDITORES DE LIVROS, RJ

C391d   Cerbasi, Gustavo
             Dinheiro: os segredos de quem tem / Gustavo Cerbasi. Rio de Janeiro: Sextante, 2016.
             160 p.: il.; 16 x 23 cm

             ISBN 978-85-431-0316-7

             1. Finanças pessoais. 2. Educação financeira. 3. Investimento. I. Título.

15-28046   CDD: 332.024
                                                  CDU: 330.567.2

Todos os direitos reservados, no Brasil, por
GMT Editores Ltda.
Rua Voluntários da Pátria, 45 – Gr. 1.404 – Botafogo
22270-000 – Rio de Janeiro – RJ
Tel.: (21) 2538-4100 – Fax: (21) 2286-9244
E-mail: atendimento@sextante.com.br
www.sextante.com.br

*A minha esposa, Adriana, verdadeira inspiração para este livro,
para meus trabalhos e para minha vida.*

Sumário

Prefácio da edição de 2010	9
Prefácio da edição de 2016	11
Introdução	13
1. O dinheiro não traz felicidade	21
Compromisso	21
Ficar rico é o objetivo?	22
Dinheiro traz felicidade?	24
Dois tipos de pobre	25
Um problema cultural	27
Você estará tranquilo?	29
O que é uma pessoa bem-sucedida?	29
Onde está o erro?	31
Aposentadoria? Tão cedo?	33
Durante quanto tempo?	34
Até quando viveremos?	35
Algo precisa ser feito – por onde começar?	36
2. Os quatro grandes erros das pessoas pobres	39
Por que as pessoas não enriquecem?	39
O desprezo pelos pequenos valores	40

O descaso por uma boa negociação	49
A ausência de percepção financeira	54
Não saber aonde se quer chegar	62

3. Preparação do terreno — 65
    Como se constrói a riqueza? — 65
    Hora de reunir os ingredientes — 69

4. A fórmula da abundância financeira — 79
    Como ficar rico? — 79
    Como gastar menos do que se ganha? — 81
    Massa crítica: atinja a independência financeira — 92

5. Ponha seu plano em prática — 99
    Como definir sua renda desejada? Não é difícil — 99
    Um exemplo para pensar e aplicar — 109
    Os argumentos são questionáveis? — 114
    Nunca esqueça a inflação — 116
    Quanto e como investir? — 120
    Em que investir? — 124
    Esteja pronto para as oportunidades — 138
    Temos um plano completo! — 141

6. Agora é com você — 143
    Cuidado com os pontos fracos do plano — 143
    Cuidado ao assumir compromissos — 145
    Dízimos e doações — 146
    Dúvidas que um dia passarão por sua cabeça — 147
    Você não é o único que tem a ganhar — 150

7. Cuide do mais importante — 153

Não pare por aqui — 157

Agradecimentos — 159

Prefácio da edição de 2010

*D*inheiro: *os segredos de quem tem* foi meu primeiro livro, criado a convite – aliás, sob intensa insistência – de meu amigo e editor Roberto Shinyashiki. Quando o escrevi, no final de 2002, o que me motivava a fazê-lo era meu inconformismo com a cegueira generalizada dos brasileiros diante de tamanha oportunidade de mudar a história de suas vidas. Eu via, nas notícias e nos bancos, um forte convite à formação de poupança, uma vez que os juros superavam os 20% ao ano e a inflação caía para a casa de 10% a 12% ao ano. Na época, com apenas esse investimento, era possível dobrar meu capital a cada três anos, ou a cada cinco ou seis anos em termos reais.

Por outro lado, eu via boquiaberto uma incrível procura dos brasileiros pela compra financiada, ou a crença generalizada de que o cheque especial estava entre os maiores benefícios de se ter conta em banco. Em minhas aulas, contas simples deixavam os alunos estupefatos, o que os motivava a começar a poupar. Outros professores de finanças e contabilidade orientavam da mesma maneira.

Em um período de pouco mais de uma década, vimos uma transformação sem precedentes na história econômica do Brasil. A educação financeira invadiu todos os veículos de imprensa. Os bancos passaram a investir milhões em cartilhas, sites e treinamentos para não perder seus clientes. O cheque especial deixou de ser o produto de crédito mais utilizado – hoje não está nem entre os três mais utilizados. O número de investidores pessoas físicas na Bolsa de Valores de São Paulo saltou de meros 25 mil para mais de 600 mil. Os livros de finanças pessoais passaram a ter uma seção exclusiva nas livrarias. Uma estratégia de educação financeira em nível nacional começa, enfim, a ser aplicada nas escolas.

Hoje o brasileiro quer enriquecer. Melhor, ele sabe como fazê-lo, talvez só esteja precisando criar coragem e se organizar para iniciar o processo. Esse é meu objetivo com este livro. Ao relançá-lo, tive que recriar exemplos, baixando a rentabilidade bruta da renda fixa de mais de 1,2% para cerca de 0,6% ao mês. A inflação também teve que ser ajustada, pois os antigos 0,5% ao mês já não faziam tanto sentido. Quanto mais a família brasileira consome, mais a inflação de sua cesta de consumo cai, e hoje já é inferior aos indicadores oficiais.

A receita para construir riqueza não mudou, mas os argumentos, os exemplos e os meios são outros. Como a nova realidade da economia brasileira é bem mais estável e saudável do que há oito anos, provavelmente não terei, daqui a oito anos, o mesmo trabalho que tive nessa revisão. Talvez, surpreendentemente, as adaptações necessárias para a publicação deste texto no exterior sejam mínimas. A realidade é outra, e é bem melhor para todos nós.

Fico feliz de ter vivido essa transformação desde o início e de ter contribuído com uma pequena parte do processo de alertar as pessoas para a oportunidade. Quando escrevi o livro, eu estava no começo do processo de construção de minha independência financeira. Hoje, eu já a alcancei. Espero que a leitura do livro o entusiasme a iniciar seu planejamento pessoal, mas espero mais ainda que você, como eu, daqui a alguns anos se surpreenda com os resultados dele. O trabalho dignifica o homem, mas uma vida financeiramente planejada dignifica o trabalho.

São Paulo, outubro de 2010.

Prefácio da edição de 2016

Ao revisar este texto para relançamento pela Editora Sextante, fiz questão de manter o prefácio feito há cinco anos para a edição anterior. Ele retrata muito bem a instabilidade e a fragilidade da economia brasileira. Oito anos após escrever a primeira edição, que foi a obra que inaugurou uma lista que hoje chega a 14 livros de minha autoria, eu celebrava as conquistas da economia brasileira e da educação financeira. Inflação sob controle, solidez da economia após a crise internacional de 2008, oportunidades em diversos mercados de investimento e juros próximos aos de países desenvolvidos faziam parte de nossa realidade. O real forte convidava os brasileiros a viajar e consumir no exterior. O Brasil atravessara a crise das hipotecas do mercado americano quase sem sofrer consequências. A economia conquistou o grau de investimento nas agências de risco internacionais, o que atraiu investimentos para o país.

O governo aproveitou a pujança e implementou diversos programas sociais e de distribuição de renda. Estimulou o consumo, a formalização dos pequenos negócios, a bancarização da população e o acesso ao crédito. Mas, mantendo uma tradição de má gestão pública que já dura meio milênio, não soube traçar planos sustentáveis, que fossem além das eleições. O mau uso do dinheiro farto e o estímulo ao crescimento sem a devida calibragem jogaram as famílias e o próprio governo no endividamento. Em 2015, confirmou-se outra tradição: após todo período de pujança, vem o período de ajuste – que costumamos chamar de crise. Como a festa foi grande na bonança, na crise a conta chega, e chega salgada. Vivemos tempos difíceis de inflação crescente, queda na renda e no emprego, fuga de capitais do país, juros em alta, crédito em baixa, pessimismo nos diversos mercados de investimento.

Os indicadores econômicos não se mostram tão desastrosos a ponto de evidenciar ganhos fáceis nos investimentos de renda fixa como eu observara em 2002. Mas este cenário convida as famílias à cautela. Como sempre, durante o período de ajuste haverá os mais preparados, com reservas financeiras para aproveitar oportunidades. Essas oportunidades são criadas pelos menos preparados, que, diante da falta de recursos, tornam o consumo e os investimentos menos competitivos. Como toda crise, esta terá seu tempo para passar. Como é tradição no Brasil, passará com a ajuda de políticas emergenciais, que afetarão as próximas eleições mas que não serão sustentáveis a longo prazo. Em algum momento, veremos a economia se recuperar, dando mais uma chance às famílias brasileiras de aprenderem a lidar com planejamento e com as oportunidades.

Ao ler este livro, você estará se preparando melhor para o sucesso financeiro. Se este texto chegar a suas mãos anos depois de ser publicado, talvez você esteja vivendo em meio a outra crise econômica, ou em outro período de recuperação. Não importa. As regras que aqui escrevi e revisei várias vezes continuarão válidas. Aproveite: o Brasil oferece muito mais oportunidades de errar e de aprender com os erros do que os países desenvolvidos, onde os ciclos econômicos são mais longos, mais sustentáveis e onde as crises e as recuperações não são tão intensas.

Construa sua prosperidade, multiplique seu conhecimento, fomente a educação financeira entre os mais jovens e seus amigos. Aos poucos, com conhecimento e consciência, moldaremos um país em que as escolhas serão cada vez melhores. Todos têm a ganhar com isso.

São Paulo, outubro de 2015.

Introdução

Você está tranquilo em relação ao futuro? Se estivesse, poderia considerar-se uma agulha em meio a um imenso palheiro, tão felizardo quanto um ganhador de loteria. Você seria uma rara exceção. Mas tenho certeza de que não está, caso contrário não leria este livro.

Sou palestrante, professor e consultor financeiro de famílias. Convivo diariamente com pessoas que buscam solução para seus problemas financeiros. Conheci muita gente humilde, que vive com muito pouco dinheiro, mas não tem a menor esperança de algum dia possuir "algo mais" na vida. Convivo também com gerentes de empresas, estudantes de boas instituições de ensino. Muitos até se consideram experts em finanças, mas a maioria nem sequer tem expectativa quanto a aonde quer chegar. Este livro surgiu da dor, como profissional da área, de ver tanta gente perder rios de dinheiro sem se dar conta – acredite, você faz isso! –, de ver tanta gente sofrer na terceira idade por ter passado a vida toda contribuindo para uma Previdência que hoje não paga seu alimento. Não se pode confiar exclusivamente na Previdência Pública. Na década de 1960, cerca de 30 trabalhadores contribuíam para a Previdência Social para cada aposentado; hoje praticamente cada trabalhador sustenta um aposentado. E a razão disso não é o fato de menos trabalhadores contribuírem, e sim o de mais aposentados viverem por mais tempo. Como será no futuro? Certamente, não poderemos confiar nossa sorte à proteção do governo: temos de garantir sozinhos nossa sobrevivência com dignidade e conforto.

Não será também a empresa para a qual trabalhamos que vai garantir nosso futuro. Muitos executivos de sucesso têm grande parte de seu padrão de vida mantida pela empresa para a qual trabalham. Ganham bons salários, mas são incentivados, a título de status, a manter um nível elevado de gastos, que muitas vezes compromete grande parte desses salários. Seu bom carro, sua boa casa, seu título de um bom clube, seus hobbies e muitos outros mimos são bancados pela empresa. Mas esses executivos perceberão que ninguém dura para sempre em um time e se verão obrigados a deixar seu posto. Com sua saída da empresa irão também seu carro, sua casa e tudo o mais. Como explicar à família que o padrão de vida agora será outro? E aos amigos? E então toda a poupança formada com as sobras do salário de executivo será utilizada na manutenção do elevado padrão de vida de outrora, consumindo-se por completo em pouco tempo. Muitos executivos de sucesso provavelmente terão a vida encurtada por problemas emocionais à medida que perceberem o esgotamento de seu patrimônio. Em que momento da vida ou de seus planos eles erraram?

Ao longo deste livro, você perceberá que pessoas que enfrentam esse tipo de problema erraram na atitude em relação ao dinheiro. Seus planos de poupança visavam algo nebuloso, talvez uma poupança cuja única importância era tornar-se cada vez maior. Se o dinheiro sobrava, havia então uma poupança. Caso contrário, aguardava-se o mês seguinte com certa expectativa de que sobrasse alguma coisa.

Tenho muito orgulho de ser brasileiro, gosto muito de nossa terra, nossos hábitos de vida e de lazer. Sou daqueles que enchem a boca para falar de sua origem quando vão ao exterior. Mas sou obrigado a reconhecer que algumas heranças latinas de nossas características culturais são bastante negativas para nossa sobrevivência. Uma delas é o imediatismo. Dificilmente pensamos no futuro quando tomamos nossas decisões. E há grande contradição nessa forma de pensar, pois nós, brasileiros, vivemos com uma constante sensação de insegurança. Insegurança quanto ao emprego, quanto ao valor do aluguel, quanto às alíquotas de impostos que pagamos, quanto aos investimentos que fazemos... Mesmo assim, temos uma cultura extremamente imediatista, focamos apenas o presente para tomar nossas decisões.

A construção de sua riqueza requer não somente alguns procedimentos aqui apresentados, mas também uma mudança de postura. Não adianta se arriscar a aplicar as ferramentas apresentadas nos próximos capítulos se não houver mudança de atitude. Trace um plano. Determine aonde você quer chegar ou o padrão de vida que deseja ter. Mude alguns maus hábitos. Fazendo isso, estará pronto para crescer financeiramente.

Este livro foi escrito para um público seleto, independentemente da renda de cada um. Foi escrito para pessoas que se convenceram de que podem mudar seu futuro para melhor com o próprio esforço. Se você já errou muito, perdeu muito dinheiro na vida, perdeu muitos anos de salário sem saber como construir a riqueza, fico contente por estar lendo este livro. Sempre há tempo de retomar um plano de vida, afinal a medicina pode nos levar longe! Ou a educação pode acelerar sua renda, seus planos e encurtar os prazos necessários para atingir seus objetivos. Se você nem sequer entrou na faculdade e já está preocupado com seu futuro, melhor ainda, porque não houve tempo de cometer muitos erros, e sua riqueza virá para você desfrutar com muita tranquilidade a maior parte de sua vida. Quanto mais cedo seu plano de riqueza começar, mais cedo você alcançará seus objetivos e mais tempo terá para colher seus frutos. Sua aposentadoria poderá ocorrer muito antes de você atingir o auge de sua capacidade intelectual, o que lhe dará a oportunidade de fazer planos mais ambiciosos para o futuro.

Espero que este livro não seja simplesmente mais um dentre vários manuais de práticas financeiras para determinado momento de nossa economia. Espero que sirva de guia de uma verdadeira transformação de sua postura para a prosperidade. Tenha-o sempre ao seu alcance na prateleira: vários conceitos aqui apresentados voltarão a lhe ser úteis dentro de algum tempo.

Antes de continuar a leitura, convido-o a autoavaliar seu perfil financeiro. Assinale ou anote em uma folha de papel, para cada uma das perguntas a seguir, a resposta que melhor se aplica a você.

TESTE

1. **Qual das seguintes alternativas melhor define sua situação patrimonial?**
   a) Possui algumas dívidas das quais não consegue se livrar ou raramente consegue alguma sobra de recursos no fim do mês.
   b) Seu salário quase empata com seus compromissos ou, com o pouco que sobra, você eventualmente troca de carro ou poupa.
   c) Você tem um plano de investimentos e procura segui-lo objetivamente.

2. **Como costuma ser sua decisão de compra de um bem de alto valor, como um carro ou uma casa?**
   a) Normalmente troca de carro quando precisa de dinheiro, vendendo o seu à vista e comprando um novo através de financiamento.
   b) Geralmente paga o máximo que pode na entrada e financia o restante.
   c) Só compra à vista, quando tem poupança suficiente para isso.

3. **Com quem você se orienta sobre alternativas de investimento?**
   a) Procura o gerente de seu banco para que ele lhe proponha as melhores opções de investimento.
   b) Busca seguir o conselho de amigos e parentes.
   c) Consulta seções especializadas em jornais, revistas ou na internet, ou segue recomendações de especialistas de mercado.

4. **Como você costuma utilizar o limite do cheque especial?**
   a) Você não tem cheque especial, ou possui cheque especial e o utiliza com frequência, praticamente todos os meses.
   b) Utiliza o cheque especial esporadicamente.
   c) Você possui limite do cheque especial, mas nunca o utiliza.

5. **Para você, qual das seguintes alternativas melhor define o cartão de crédito?**
   a) É uma solução para a falta de dinheiro no fim do mês.
   b) É um péssimo instrumento financeiro, cujo uso arruína qualquer planejamento – em suma, seu uso deve ser evitado.
   c) É um instrumento que, quando usado corretamente, facilita o planejamento financeiro.

6. **Como você faz suas compras de supermercado?**
   a) Vai ao supermercado sempre que sente falta de algo.
   b) Faz a "compra do mês", deixando para pesquisar na prateleira tudo de que precisa de uma única vez, a cada três ou quatro semanas.
   c) Elabora uma lista de necessidades e procura comprar estritamente o que estava planejado, a cada duas ou três semanas.

7. **Se hoje você recebesse um prêmio de R$ 100.000,00, que destino lhe daria?**
   a) Pagaria dívidas.
   b) Satisfaria alguns desejos, adquiriria bens ou faria doações.
   c) O dinheiro seria quase totalmente investido.

8. **Se hoje você perdesse o emprego, durante quanto tempo sua poupança o sustentaria?**
   a) Menos de seis meses.
   b) De seis meses a um ano.
   c) Mais de um ano.

9. **Quais são seus planos de aposentadoria?**
   a) Ainda é cedo para pensar nisso.
   b) Você viverá da aposentadoria paga pelo governo e mais alguma ajuda dos filhos, além de se desfazer de alguns bens para poder se manter.
   c) Você tem um plano de previdência privada ou faz um plano próprio de investimentos.

10. Você tem alguma fonte de renda alternativa a seu salário?
   a) Não.
   b) Eventualmente você obtém ganhos através de trabalhos temporários ou de negociações com bens de valor (carros, imóveis etc.).
   c) Você tem mais de uma fonte de renda (aluguéis, atividades múltiplas, atuação como profissional autônomo, etc.).

11. Qual é o tipo de controle de gastos que você possui?
   a) Você gasta enquanto o saldo no banco permite.
   b) Você procura manter algum tipo de disciplina com os gastos, controlando suas dívidas.
   c) Você tem uma planilha dos gastos do mês, que é periodicamente revisada.

12. Como é seu comportamento de compras em geral?
   a) Quando precisa de algo, compra na primeira loja que encontra.
   b) Você é fiel a determinadas lojas e costuma fazer suas compras sempre nos mesmos estabelecimentos.
   c) Você pesquisa preços em grande parte de suas compras, através de anúncios, telefonemas, internet ou visitas a diversos estabelecimentos.

PONTUAÇÃO:
Atribua, para cada resposta:
a, um ponto;
b, dois pontos;
c, três pontos.

RESULTADOS DO TESTE

12 a 17 pontos: você é bastante descuidado em relação ao dinheiro e, em razão disso, provavelmente tem problemas financeiros com frequência. Se alguns de seus hábitos em relação ao dinheiro não forem mudados, você poderá ter sérias dificuldades no futuro.

Você, que se encontra neste grupo, será um dos maiores beneficiados pela leitura deste livro, principalmente quando aponto, nos primeiros capítulos, os maus hábitos a serem corrigidos.

18 a 29 pontos: você tem consciência da importância de dar atenção ao planejamento financeiro e, provavelmente, não costuma ter problemas desse tipo. Mas ainda precisa melhorar alguns de seus hábitos para que essa consciência se transforme em riqueza a longo prazo. O planejamento financeiro que proponho neste livro deve ser exatamente o que estava faltando para que seu futuro esteja garantido.

30 a 36 pontos: parabéns! Você está no caminho certo para ter um futuro financeiramente seguro e estável. Se ainda não possui um plano de independência financeira claramente definido, não terá dificuldades em implementá-lo ao longo desta leitura. Se você já pratica algum tipo de planejamento, tenho certeza de que este livro contribuirá para uma revisão desse plano para melhor.

Boa leitura!

1
O dinheiro não traz felicidade

*"Renda anual 20 libras, despesa anual 19 libras,
19 xelins e 6 pence, resultado: felicidade.
Renda anual 20 libras, despesa anual 20 libras,
zero xelim e 6 pence, resultado: miséria."*

DICKENS (1812-1870)

COMPROMISSO

O objetivo deste livro é ajudá-lo a se tornar uma pessoa mais rica. Um objetivo simples de definir, mas não tão simples de alcançar, pois o sucesso dele dependerá única e exclusivamente de você. Não dependerá de quanto você tem ou ganha hoje, mas do que irá fazer para ter aquilo que deseja. Por isso, ao iniciar a leitura, esteja preparado para assumir um compromisso com você mesmo. Um compromisso que irá mudar sua vida definitivamente, mas que dependerá de sua consciência de que nada virá por acaso. Você será o agente da mudança.

Peço-lhe apenas um compromisso. Eu começo este livro questionando se o que realmente buscamos é o dinheiro. Leia este primeiro capítulo com muita atenção. Ele será fundamental para que o dinheiro não lhe falte no futuro.

FICAR RICO É O OBJETIVO?

As chances de que você, ao procurar o caminho do enriquecimento, esteja enveredando por uma trilha errada são bastante grandes. Reflita bem sobre seus objetivos. Pense no porquê da riqueza como a meta primordial de sua vida. Este é um exercício importante para que tire o máximo proveito da leitura. Pense no *significado* da riqueza para você. *O que* você define como riqueza?

Se, para você, riqueza é ter recursos suficientes para comprar o carro dos seus sonhos, uma casa imensa de frente para a praia ou uma viagem ao redor do mundo, lamento dizer que, quando conseguir isso, provavelmente sua frustração será muito grande. Você perceberá que a posse de bens materiais apenas alimenta a ansiedade pela acumulação cada vez maior de novos bens. A ganância humana não tem limites, e por isso a aquisição material jamais o fará feliz.

A melhor prova disso está a seu alcance. Leia jornais e revistas e veja os fatos. Existem centenas de exemplos de pessoas endinheiradas que não são felizes. Suicídios, divórcios e tragédias são tão frequentes entre os abastados quanto entre os miseráveis. E é muito fácil encontrar felicidade numa comunidade simples, em que o convívio e as atividades sociais proporcionam um prazer que salta aos olhos de todos. Veja um grupo de feijoada e pagode, tão comum nas favelas do Rio de Janeiro: aquela felicidade pura e simples não transparece tão claramente nas páginas da revista *Caras*.

Uma pesquisa da Gallup feita com 450 mil americanos entre 2008 e 2009 constatou um fato que, a princípio, contesta minha afirmação. Segundo a pesquisa, publicada em setembro de 2010 no periódico científico *Proceedings of the National Academy of Sciences*, o bem-estar emocional das pessoas – ou seja, a felicidade – é proporcional à sua renda até o patamar de US$ 75 mil anuais, ou pouco mais de US$ 6 mil mensais. Inicialmente, você poderia interpretar que dinheiro compra felicidade, e que ela tem um preço. Porém, a mesma pesquisa afirma que a felicidade aumentava conforme a renda crescia, mas o efeito parava aos US$ 75 mil. Ou seja, uma vez atendidas as necessidades básicas da família, o aumento de renda não conseguia se traduzir em maior felicidade.

A renda de US$ 6 mil é compatível com a classe média americana, necessária para bancar a compra da casa própria, de um carro, de uma educação de qualidade para os filhos, mas sem muitos luxos. No Brasil, esse padrão de vida pode ser conquistado com ganhos na casa dos R$ 6 mil a R$ 10 mil, dependendo de onde a família vive. Segundo os autores da pesquisa, quando os ganhos estão abaixo desse patamar, os problemas são tão imediatos que é difícil ser feliz. Isso interfere no contentamento com a vida que se leva.

Uma pesquisa mais antiga do Ibope, divulgada no fim de 2002, trazia uma estatística interessante: 41% das pessoas com renda mensal igual ou inferior a R$ 379,00 declaravam-se felizes, enquanto apenas 25% das pessoas com renda superior a R$ 4.500,00 afirmavam o mesmo. Em outras palavras, uma parcela maior das pessoas com menor renda se autodenominava feliz em comparação à população de maior renda no Brasil. Um detalhe interessante que se conclui dessa pesquisa: como a maioria da população brasileira está na faixa inferior de renda, não se pode negar que o povo brasileiro seja feliz.

Contudo, diante dos obstáculos para conquistar um nível de renda que lhe garantisse a felicidade, se lhe fosse proposta uma opção entre dois caminhos a seguir na vida, qual você escolheria: ter muito dinheiro ou ser feliz? A resposta não é difícil.

Felizmente, a vida não lhe impõe uma escolha tão impiedosa. Você pode escolher um caminho de coexistência entre riqueza e felicidade, mas não haverá placas na beira da estrada indicando esse caminho. Perceber que ele está diante de sua vida é uma decisão consciente, que independe da sorte ou da esperança de que a solução dos problemas caia dos céus em seu colo. Ao iniciar a leitura deste livro, seus primeiros passos para o caminho certo já foram dados. Esteja preparado para, a partir de hoje, mudar sua vida. É um esforço que dependerá de você, esteja certo disso.

DINHEIRO TRAZ FELICIDADE?

Pense na pergunta que você certamente já ouviu: "Dinheiro traz felicidade?" Antes de rebater com a tão manjada brincadeira "Não traz, manda buscar", pense no sentido da palavra felicidade para você.

Você ainda curte seus prazeres de adolescente? Se não curte mais, em algum momento da vida deliberadamente *escolheu* deixar de curtir esses prazeres? Você já deu, esta semana, um abraço forte nas pessoas que ama? Conseguiu se espreguiçar na cama por uns dois minutos hoje de manhã? Se você é pai, quantas horas dedicou ao prazer de curtir o carinho de seu filho na última semana? Quantas horas ficou debruçado na janela para ver o espetáculo que a última chuva proporcionou ao fazer a água correr pela rua? Quantos tipos de cantos de passarinhos você consegue ouvir de sua janela ao amanhecer? Há quanto tempo não canta sozinho, não dança sem música, não faz planos para um fim de semana em casa?

Perceba que muitas das coisas importantes da vida são gratuitas. Quantas pessoas estão deixando de curtir as coisas mais importantes da vida, estão deixando a vida simplesmente passar? Quanto custaria gastar um pouquinho do seu tempo para simplesmente *curtir*? Nada.

Curtir a vida pode não custar nada se você quiser.

Você, porém, não consegue aproveitar nem uma pequena parcela da enorme quantidade de presentes que Deus lhe dá todos os dias. E a razão de não aproveitar esses lances de felicidade é justificada por milhares de desculpas. A principal delas é a correria do dia a dia, motivada por um ritmo intenso de trabalho, que por sua vez é justificado por lhe trazer *dinheiro*, o qual será usado para pagar as contas e dar acesso às coisas que lhe dão prazer. Esteja consciente de que você abre mão de prazeres, de sua família, de seus amigos e de você mesmo para poder ter tudo isso *após* o trabalho.

Como já expliquei, a falta de dinheiro pode gerar um grande número de problemas imediatos que irão interferir em sua felicidade. Porém, dinheiro e felicidade são riquezas diferentes. Podemos entender o dinheiro como uma espécie de potencializador da felicidade. Quanto mais feliz você for, mais o dinheiro o ajudará a fazer escolhas que lhe tragam mais felicidade. Pessoas infelizes, por outro lado, podem cair em desgraça se ganharem na loteria.

DOIS TIPOS DE POBRE

Perceba bem: as melhores coisas da vida estão disponíveis para qualquer ser humano. Ganhar bem é diferente de ser rico. Há muita gente com muito dinheiro que declaradamente não é feliz, assim como tem muita gente que vive humildemente e diz de boca cheia que é feliz. As pesquisas mostraram isso.

Convença-se de que sua meta, a partir de agora, é ter muito dinheiro e também ser feliz. Uma pequena parcela da população consegue unir o útil ao agradável, mas com certeza essa parcela consegue isso porque busca esse objetivo de maneira consciente.

Você, leitor, está buscando o aumento de sua riqueza.

Há dois tipos de pobre: os pobres *sem* dinheiro e os pobres *com* dinheiro. Os sem dinheiro têm uma longa batalha pela frente, mas ainda poderão chegar lá. Muito pior é o caso dos pobres com dinheiro, que talvez vejam o dinheiro como um fim em si mesmo e não têm outro objetivo na vida a não ser adquirir bens materiais. Se você está nesse grupo de pessoas, busque auxílio de um terapeuta. Ele certamente o ajudará. Não é esse tipo de riqueza que você será incentivado a construir lendo este livro.

Parabéns se você se enquadra no *outro* tipo de pobre, aquele sem dinheiro ou aquele consciente de que sua poupança não será suficiente para a sobrevivência. Este livro lhe será muito útil. Muitos se enganam ao pensar que nunca terão dinheiro, pois não o têm porque não fizeram questão disso.

Sua riqueza não depende de quanto você ganha, mas de quanto gasta ou do que faz com aquilo que ganha.

Algumas pessoas são e sempre serão pobres porque ser pobre está no seu jeito de viver, de pensar e de ver as coisas. Ao deparar com algo que realmente gostaria de ter na vida, um objeto de desejo, talvez uma bela casa, um pacote de viagem ou um carro muito caro, o pobre, como qualquer outra pessoa, tem sentimentos de admiração e inveja. De cara, porém, esses sentimentos convertem-se em uma postura de resignação. Seu pensamento pode ser traduzido como algo do tipo:

"Que inveja... Que cara de sorte! Feliz é aquele que pode ter um desses... Eu tenho que me contentar mesmo com o que tenho, não nasci em berço de ouro..."

Outras pessoas, porém, talvez não sejam ricas hoje, mas têm grandes chances de se tornar ricas, pois pensam como os ricos. Os sentimentos que passam por sua cabeça diante de um objeto de desejo não são muito diferentes dos de um pobre, mas sua *atitude* é completamente diferente. Seu discurso seria mais ou menos assim:

"Que inveja... Que cara de sorte! Feliz é aquele que pode ter um desses... O que será que esse cara fez para conseguir isso? O que será que eu preciso fazer para ter um desses?"

Compare as duas frases. Percebeu a diferença? A grande diferença entre os que estão no caminho da riqueza e os pobres "crinas de cavalo", que crescem para baixo, é o empreendedorismo, a capacidade ou a atitude de fazer *planos* para crescer. Cada objetivo novo na vida transforma-se em um problema para o qual se buscará uma solução.

O que eu busco neste livro é formar a consciência de que para conseguir a riqueza é preciso seguir um caminho planejado, talvez passar por algum sacrifício, e fazer isso conscientemente. É como fazer regime: você está fora de forma porque tem maus hábitos, que precisam ser mudados para obter resultado. E a maior dificuldade da mudança estará no começo, como acontece em um regime.

UM PROBLEMA CULTURAL

Quando analisamos a cultura de um povo, observamos, entre outras coisas, as características de comportamento comuns à grande maioria de seus indivíduos. Se nos dedicássemos a analisar a cultura financeira do povo brasileiro, perceberíamos que existe um nítido padrão de comportamento quanto aos objetivos de investimento e planos pessoais de grande parte da população. Nossos parentes e amigos nos induzem a fazer determinados planos, a conquistar títulos, diplomas e posições hierárquicas e também a adquirir posses materiais comparáveis às dos nossos amigos e vizinhos.

A noção de riqueza de nossa cultura latina está, antes de tudo, associada a bens materiais ou algo que possa ser mostrado – ou melhor, exibido – aos nossos amigos e parentes para que estes afirmem em coro: "Está se dando bem, não?" Perceba como isso é verdadeiro no planejamento patrimonial de cada um de nós.

Logo que entramos na faculdade, ou alguns meses depois, temos como verdadeira obsessão a conquista de certos bens que a grande maioria de nossos amigos já tem. Não estou falando de futilidades e acessórios da moda, como smartphones e roupas de marca. Refiro-me ao item que aparece no topo da relação patrimonial de todo jovem, que é o primeiro automóvel, verdadeiro símbolo de liberdade, afirmação social e status. Muitos jovens ou profissionais em início de carreira fazem de tudo para conseguir o primeiro carro, muitas vezes sacrificando a maior parte de seu salário ou de sua bolsa-estágio. E, o que é pior, normalmente para pagar o financiamento ou consórcio de um carro zero-quilômetro, novinho em folha. "*Já dá* para pagar a prestação de um modelo básico", é o que pensam.

Quanto vale o cheirinho de um carro novo? Quanto vale a tranquilidade de um carro novo? Quanto vale poder mostrar aos amigos que se possui uma das novidades do mercado? Para essa pessoa, vale muito. Está escrita, então, a primeira linha de seu patrimônio pessoal. E também a primeira linha das dívidas assumidas, já que o carro será pago ao longo de três anos ou mais. Mas, tudo bem, cabe no orçamento...

Passa o tempo e surgem novos objetivos. Chega o momento em que o jovem reconhece que a adolescência já passou, que é hora de encarar a vida e construir o próprio caminho. Hora de pensar no futuro. Quem sabe até pensar em casamento? Uma breve consulta aos amigos e parentes faz com que você perceba que segurança é ter casa própria. "Aluguel? É pagar a vida inteira e nunca ter o bem!" "E se você perder o emprego? Pelo menos tem casa própria!" "Nada como a felicidade de morar no que é seu." Esses são alguns dos argumentos que fazem com que a segunda grande preocupação da vida em relação ao patrimônio seja a aquisição da casa própria. Após algum tempo de pesquisa, faz-se a opção por um imóvel na planta – "vale a pena" – ou por um financiamento do Sistema Financeiro de Habitação. E agora temos nossa segunda grande conquista patrimonial. Ah, claro, e uma dívida que se arrastará por 20 anos ou mais. Sem contar que, a essa altura, seu salário evoluiu e seu carro "cresceu" com o salário. Mas em três anos estará pago...

E assim vamos seguindo em frente, construindo nosso patrimônio, tendo como *grande preocupação* a adequação do padrão de vida à nossa renda.

E nossos sonhos vão, com muito custo mas com grande satisfação, tornando-se realidade: a casa de campo, a casa de praia, o título do clube... E o carro (ou os carros) da família vai acompanhando nosso crescimento: cada vez maior, mais caro e com um custo de manutenção mais elevado. Se você for um profissional muito bem-sucedido, suas conquistas materiais refletirão isso: fazendas, iates, carros e mais carros. Essas são as grandes preocupações da maioria das pessoas.

Digamos que, no final de sua carreira de trabalho – ou da primeira delas, pois muitos iniciam nova carreira aos 60 anos –, suas contas estejam finalmente pagas e seu patrimônio possa ser avaliado em R$ 1 milhão ou mais. A declaração de imposto de renda será até motivo de orgulho!

VOCÊ ESTARÁ TRANQUILO?

A resposta é: **não**. Você não estará tranquilo porque as grandes conquistas de sua vida – graças a Deus e a muito suor – gerarão para você uma grande preocupação: *contas a pagar*. Seu maravilhoso patrimônio de R$ 1 milhão ou mais proporcionará a você, nesse momento, além de um grande prazer, contas intermináveis. Impostos dos mais diversos tipos, mensalidades de clubes e marinas, caseiros dos seus imóveis, gastos com manutenção, seguros... Não tem mais fim.

Você perceberá, talvez antes mesmo do final de sua carreira, que terá se transformado em um verdadeiro homem-holerite,[1] aquele que corre atrás do ordenado para *sobreviver*. Uma espécie de escravo do trabalho, que se verá obrigado a batalhar árdua e incessantemente para garantir, no fim do mês, os recursos consumidos por completo no pagamento de contas. Contas que não foram impostas a você. Você mesmo as criou.

O QUE É UMA PESSOA BEM-SUCEDIDA?

O problema aqui apresentado é muito sério, pois envolve decisões e consequências para uma vida toda. E é um problema cultural, pois a maioria das pessoas que você conhece passa pelas mesmas emoções e dificuldades.

---

[1] Minha gratidão ao professor Edson Ferreira de Oliveira, companheiro de muitos cursos, que criou a definição perfeita para esse tipo de pessoa. O termo "holerite", muito usado no estado de São Paulo, é sinônimo de contracheque.

O materialismo associado à nossa cultura acaba por gerar problemas no final de uma carreira de sucesso. Ao se aposentar, o profissional bem-sucedido que depara com centenas de contas a pagar percebe que sua realidade financeira está muito longe dos compromissos, e então começa a se desfazer dos bens. Usando argumentos enlatados e preconcebidos, alega que, para se aposentar, não é preciso mais que um mínimo para se manter e estar com a família. E o que se observa é um verdadeiro rebaixamento do padrão de vida familiar. Algo que alguém de fora encara com naturalidade, já que quase todas as famílias passam por isso, mas na verdade pode ser traduzido como uma verdadeira tragédia familiar. Pense: você se vê obrigado a se desfazer de tudo aquilo que construiu ao longo de uma vida de suor e sonhos.

Não é preciso esperar a aposentadoria para passar por esse drama: imagine sua família com a obrigação de mudar-se para um bairro mais afastado ou desvalorizado por não poder arcar com o aluguel, ou a necessidade de tirar seu filho de uma boa escola particular para matriculá-lo em uma escola pública de padrão inferior, em razão das mensalidades incompatíveis com seu orçamento. Acontecerá a mesma coisa na aposentadoria se não houver um planejamento adequado.

O aposentado que se vê diante de diversos cortes no orçamento enfrenta a amargura da queda do padrão de vida. Um dia, todos descansaremos em paz, mas alguns partem mais cedo porque não suportam a depressão de uma aposentadoria repleta de perdas materiais.

E esse não é um problema que atinge apenas os assalariados. Repare no executivo bem-sucedido com seu carro importado no trânsito, com uma roupa de grife, ostentando uma declaração de imposto de renda com bens invejáveis. Algo de que se orgulha, mas que em um futuro não muito distante pode se tornar seu maior motivo de preocupação, pois nada daquilo é dele. Muitos profissionais sustentam seu padrão de vida com os benefícios oferecidos pela empresa.

Carros, títulos de clube, aluguéis de casas, viagens, escolas caras para os filhos, almoços e jantares. Esse profissional, mais que qualquer outro, é um homem-holerite. Um escravo do trabalho. A perda do emprego significa, para ele, o fim brusco de um bom padrão de vida. Muitas vezes tais profissionais não suportam essa perda, têm vergonha de dividir o problema com a família, acabam afundando em dívidas e problemas, arruínam sua vida ainda jovens. Talvez esteja aí parte da razão de uma parcela tão reduzida das pessoas com renda superior declarar-se feliz.

Parece incrível, mas a grande maioria das pessoas que conhecemos tem grandes chances de enfrentar problemas parecidos com os expostos até aqui. E como as pessoas não aprendem com o erro dos outros? Como esses ensinamentos não são passados adiante?

A resposta é difícil, mas tenho certeza de que há duas razões principais para isso acontecer. Primeiro, por ser um problema que começa em nossas características culturais de ostentação. Somos pressionados a construir um patrimônio incompatível com nossa renda. Segundo, porque são poucos os que encaram a situação da perda de padrão de vida com os pés no chão, assumem o erro e alertam os demais para não repeti-lo.

Todos começam gerando seus problemas da mesma forma, e acabam tentando solucioná-los com ações muito parecidas, usando uma receita que jamais proporcionou felicidade: desfazer-se do que foi construído durante uma vida.

ONDE ESTÁ O ERRO?

Quando afirmo que o problema é cultural, refiro-me ao fato de que nem todas as culturas valorizam tanto a posse material e também porque alguns costumes e "manias" de outras culturas tornam mais pessoas ricas para fazer o dinheiro girar na economia.

Veja o exemplo da comunidade judaica. Muitas das piadas sobre judeus e turcos referem-se a relações supervalorizadas ou, em muitos casos, mesquinhas com o dinheiro. Essa fama, obviamente exagerada e com boas pinceladas de caricatura, vem de características culturais desses povos que valorizam a negociação, o enriquecimento – não necessariamente a posse de bens específicos – e o sucesso nos negócios próprios. As crianças judias não têm aulas de negociação e finanças nas escolas. Elas simplesmente seguem o exemplo dos pais. E, ao longo da vida, valorizam bastante a riqueza construída com seu suor, batalhando muito para não perder seu patrimônio.

A cultura americana está bastante presente nos filmes vistos pelos brasileiros e, por isso, muitos de seus hábitos são de conhecimento da maioria das pessoas. Veja outro exemplo bastante interessante, que uso como comparação com nosso jovem que está ávido por um automóvel aos 18 anos.

A maioria dos jovens americanos passa por uma mudança drástica de vida ao entrar na faculdade. Independentemente do padrão de vida que possuía, o jovem americano sabe que, ao entrar na faculdade, passará a ser o senhor de sua vida, sem amparo dos pais para moradia e transporte. Quando muito, tem faculdade e alimentação pagas pela família e é obrigado a fazer "bicos" para arcar com os outros gastos. A grande obsessão de todo jovem americano não é fazer "bicos" para pagar a prestação do carro – eles contam com um bom sistema de transporte público e, quando não o têm, compram carros que são verdadeiras pechinchas, com vários anos de uso. Todo o seu esforço financeiro está concentrado em conseguir, no menor prazo possível, o sonho de qualquer americano de classe média: *o primeiro milhão de dólares*.

Alguns planejam conseguir seu primeiro milhão de dólares até os 50 anos. Outros, mais ambiciosos, sustentam que, se seus planos de negócio derem certo, o primeiro milhão chegará antes dos 30.

Qual seria a razão desse número mágico de 1 milhão de dólares? Você pensa que, com esse dinheiro, o objetivo passa a ser então comprar casa, carro, título de clube e casa de praia? Certamente não.

*A razão do primeiro milhão está
na conquista da aposentadoria.*

APOSENTADORIA? TÃO CEDO?

Imagine-se depositando R$ 1 milhão (de *reais*, não de dólares, sejamos modestos e realistas) em uma caderneta de poupança ou aplicação segura que lhe renda juros limpos de 0,4% ao mês (a rentabilidade da aplicação menos imposto de renda e menos inflação). Daqui a um mês, você terá à disposição algo em torno de R$ 1.004.000,00 (1 milhão e 4 mil reais). Na verdade, terá mais do que isso, pois descontamos a taxa de inflação, mas devemos considerar que, após um mês, você conseguiria gastar o equivalente a mais R$ 4 mil, em compras, do que gastaria no mês anterior.

Se tirar R$ 4.000,00 da poupança, restará o mesmo R$ 1 milhão inicial, atualizado pela inflação. No mês seguinte, você terá mais R$ 4.000 para tirar novamente. E mais R$ 4 mil no outro mês, e assim sucessivamente, sem prazo para acabar. Perceba que, com R$ 1 milhão em dinheiro, bem aplicado, você pode ter renda perpétua. Se seus gastos mensais não forem superiores a R$ 4.000,00, podemos afirmar, seguramente, que você não dependerá mais do trabalho para pagar suas contas. Nessa situação, você estará financeiramente aposentado!

Aposentar-se, em finanças pessoais, não é deixar de trabalhar. Não pense em parar completamente. Se sua cabeça parar, seu corpo parará também. Aposentar-se significa obter renda suficiente para pagar suas contas mensais sem que se veja na obrigação de trabalhar para pagá-las. Ao se aposentar, você terá tranquilidade para trabalhar no que gosta. Poderá se dar ao luxo de ficar um dia de cama quando pegar um resfriado – e perceberá que os remédios para resfriados são totalmente desnecessários quando você pode doar algum tempo a si mesmo. Disporá de tempo para curtir à vontade aquilo que você tem de graça, sua riqueza não financeira, mas que estava deixando passar com sua vida. Enfim, desfrutará de uma sensação de independência.

O mais importante na aposentadoria da forma como apresento aqui está na ideia da *perpetuidade*. Tem de ser para sempre. Veja a seguir o porquê.

DURANTE QUANTO TEMPO?

Às vezes respondemos a algumas perguntas sem pensar em seu real significado. Quem teve a oportunidade de estudar propostas de planos de previdência privada, investimentos programados em aposentadoria e outros produtos oferecidos pelos bancos que visam a garantir o "futuro" do investidor deve ter passado pela situação seguinte.

Entre as várias opções de previdência privada existentes no mercado, decidi analisar, há alguns anos, a proposta de um plano que prometia aplicação mensal bem menor que a média dos demais planos oferecidos pelos bancos. Ao consultar meu gerente sobre o valor mensal a ser aplicado, ele me dirigiu três perguntas:

1) *Qual é a renda que deseja ter ao se aposentar?*
2) *Quando deseja se aposentar?*
3) *Durante quanto tempo pretende receber sua aposentadoria?*

Perguntas interessantes. A primeira, é claro, servia para determinar quanto dinheiro eu deveria ter em uma poupança para gerar a tal renda. Respondi facilmente: uma renda equivalente a pouco mais do que os meus gastos mensais na época da consulta. A segunda pergunta, sobre a data da aposentadoria, servia para calcular o prazo de minha aplicação – quanto maior o prazo, menos dinheiro teria de investir por mês. Naquela época, eu desejava me aposentar aos 60 anos.

Talvez a terceira pergunta tenha sido uma das principais razões de começar a escrever este livro. "Durante quanto tempo pretende receber sua aposentadoria?" Na cabeça dele, se eu quisesse receber aposentadoria por apenas um mês, bastaria ter o valor dessa aposentadoria na poupança, pois supunha que alguém estivesse interessado em ter uma renda que acabasse em um dia preestabelecido. Incrível, pela primeira vez na vida alguém me perguntou seriamente qual era minha estimativa sobre a data de minha morte. Se eu quisesse "morrer" aos 90 anos, precisaria contar com uma aplicação mensal alta a partir de hoje para formar uma poupança que seria "torrada" dos 60 aos 90 anos. Mas, se eu quisesse aplicar menos dinheiro hoje, teria de contar com a ajuda de um infarto prematuro, senão não haveria dinheiro para sustentar minha velhice.

ATÉ QUANDO VIVEREMOS?

Você corre o sério risco de precisar pedir dinheiro a seus filhos para sustentar sua velhice. Alguma vez você já pensou em quanto tempo pode viver? Ou em quanto tempo gostaria de viver?

Veja o que nos diz o censo demográfico brasileiro, apurado pelo Instituto Brasileiro de Geografia e Estatística (IBGE):

Fato 1:
- Em 1940, a expectativa média de vida no Brasil era de 38,5 anos.
- Em 2010, essa expectativa média de vida era de 72,5 anos.

Perceba que, em 70 anos, a expectativa de vida do brasileiro, ao nascer, aumentou em 34 anos. Um brasileiro que nasceu em 2010, em média, esperaria ultrapassar os 72 anos. Mas veja bem, *em média*. Aqui estão incluídas as crianças que morrem com menos de 1 ano de idade por desnutrição, os miseráveis que não têm acesso a uma boa alimentação, a bons médicos, plano de saúde e educação para adquirir hábitos de higiene.

A classe média brasileira já tem expectativa de vida acima dos 80 anos. Alguns cientistas já falam, em congressos de saúde, sobre uma expectativa de vida de 105 anos ainda na primeira metade deste século. Hoje todos veem os netos. Cada vez mais gente convive com bisnetos. Já conheci em um aeroporto uma senhora que tinha oito tataranetos.

Fato 2:
- Em 2010, havia aproximadamente 25 mil centenários no Brasil.

Dados do censo de 2010 apontavam que o número de brasileiros que têm 100 anos ou mais já era suficiente para encher um estádio de futebol. Completar um século de vida não é mais um fato a ser registrado na imprensa. Está se tornando um fato corriqueiro. A medicina está proporcionando às pessoas uma longevidade saudável. Quem se aposenta aos 65 anos pode ainda contar com um tempo de vida talvez maior que a própria carreira de trabalho. Por que não pensar em desfrutar todos esses anos desenvolvendo um trabalho apaixonante e sem preocupação com as contas a pagar? Seria bastante interessante, em minha humilde opinião.

O que você está fazendo para garantir uma velhice tranquila? Trabalhando para pagar as contas no fim do mês? Contribuindo para a Previdência Social para receber sua aposentadoria de um salário mínimo? E essas contas que você tem, vai eliminá-las na velhice? Tirar de sua família o padrão de vida que ela tem?

ALGO PRECISA SER FEITO – POR ONDE COMEÇAR?

Este é o momento de mudar seu futuro. Ninguém é obrigado a empobrecer de uma hora para outra. Tenha consciência de que seu "regime financeiro" começa agora. Tem de começar agora, pois, se você deixar para amanhã, estará um dia mais pobre.

A partir de agora, estaremos traçando seu plano para tornar-se mais rico, em todos os sentidos da palavra.

Antes de mais nada, você precisa mudar sua forma de pensar sobre o futuro. Se não tem visão clara de sua riqueza no futuro, é porque provavelmente pensa como pobre. Em primeiro lugar, é preciso abandonar essa mentalidade e passar a pensar como rico.

Quem pensa que rico é aquele esbanjador ou ostentador que dá gorjetas mais caras que uma refeição, vai a festas todos os dias e anda com um carro diferente a cada dia está com uma visão distorcida do que eu quero chamar de rico. Talvez esta definição seja do que popularmente é chamado de *podre de rico*. Coloquemos os pés no chão. Uma pessoa dessas é um caso atípico, de quem ganhou muito mais dinheiro do que precisava, talvez através da fama, talvez por ter tido oportunidades fora do normal de multiplicação de riquezas. Pode ser seu caso no futuro, mas esse tipo de construção de riqueza não é exatamente fruto de planejamento, mas sim de muito trabalho ou muita sorte. A única forma que conheço de mudar sua sorte é com muito trabalho e muito planejamento.

Meu objetivo é fazer com que você fique rico mediante um planejamento simples, objetivo, que possa ser seguido por qualquer pessoa. Não contaremos com velas, orações nem providência divina.

O rico a que me refiro é aquele que construiu sua riqueza da mesma forma que você está buscando fazer. O livro *O milionário mora ao lado – Os surpreendentes segredos dos ricaços americanos*, de Thomas J. Stanley e William D. Danko, mostra que muita gente faz uma ideia totalmente errada de como as pessoas enriquecem. Poucas vezes é uma herança, um diploma de pós-graduação ou mesmo a inteligência que constrói uma fortuna. Com muito mais frequência, esse é o resultado de trabalho duro, economias disciplinadas e um padrão de vida bem abaixo dos meios disponíveis. A maioria dos milionários compra carros usados em oferta, tem boas estratégias para reduzir o imposto de renda, rejeita o estilo de vida de grandes gastos que a maioria de nós associa à riqueza. Como dizem os autores do livro, a maioria das pessoas realmente ricas não mora em Beverly Hills nem em Park Avenue, mas logo ali na casa ao lado.

2
Os quatro grandes erros das pessoas pobres

*"Plante cada dia pelo menos um pé de algaroba,
de caju, de sabiá ou outra árvore qualquer,
até que o sertão todo seja uma mata só."*

PADRE CÍCERO (1844-1934)

POR QUE AS PESSOAS NÃO ENRIQUECEM?

As pessoas não enriquecem porque não fazem planos, ou porque os fazem mas não os executam. Mas esse não é o único motivo do não enriquecimento. Outro motivo de as pessoas não enriquecerem é porque cometem erros. Todos nós cometemos erros, alguns mais do que outros. Para escrever este livro, estudei muito, mas também tirei lições de erros pessoais.

Não pense que, para enriquecer, você terá de eliminar completamente os erros de sua vida. Os ricos também erram. Talvez até errem com bastante frequência, pois alguns escolhem o caminho do risco para enriquecer mais rapidamente. Mas, com um pouco de sabedoria, os bons resultados dos acertos acabam compensando com sobras os maus resultados dos erros.

Errar é humano

Aí está um belo bordão para justificar um erro. Ou, talvez, uma bela desculpa. Mas algumas pessoas talvez se achem mais humanas que outras, porque se dão ao luxo de errar com uma frequência impressionante! Você, leitor, se ainda acha que está muito longe de enriquecer, é bem provável que esteja errando bastante, muito mais do que deveria.

Descobri, com meus estudos sobre finanças e com centenas de consultorias de finanças pessoais que tive oportunidade de oferecer, que, entre os vários fatores que levam as pessoas a não se tornarem ricas, existem quatro grandes erros comuns a praticamente todo ser humano pobre.

Basicamente, todo pobre é pobre porque:

1) Despreza os pequenos valores
2) Não se esforça por uma boa negociação
3) Não tem percepção financeira
4) Não sabe aonde quer chegar

São erros muito frequentes. Explorarei cada um deles a partir de agora. Ajeite-se na cadeira ou no sofá. Você irá perceber que também erra bastante. Talvez até aceite bem esse fato, mas espero que mude sua postura a partir de hoje.

O DESPREZO PELOS PEQUENOS VALORES

Normalmente, prestamos atenção nos grandes números, mas desprezamos os pequenos. Quando usamos a expressão "da espessura de um fio de cabelo", queremos dizer uma espessura que praticamente não vale nada. Mas provarei que é um absurdo considerar essa espessura igual a zero.

Consideremos, por exemplo, a espessura de uma folha de papel comum, como esta em que o texto está impresso. Você sabe qual é a espessura dela? Com um instrumento de precisão – um paquímetro – podemos medir a espessura desta folha e chegaremos à medida de 0,094 milímetro, ou pouco menos de 0,1 milímetro (um décimo de milímetro). Na prática, isso significa que, se você colocasse uma folha de papel sobre um piso bem plano, pisasse em cima dela e não houvesse deformação da folha, estaria 0,1 milímetro mais alto do que se não pisasse na folha. Para muitos, isso é o mesmo que nada.

Agora, imagine o seguinte problema: você precisa subir ao alto do Pico da Neblina, o ponto culminante do território brasileiro, com 3.014 metros, mas não dispõe de nenhum outro equipamento a não ser uma folha de papel da espessura desta que está em suas mãos, porém de dimensões enormes, do tamanho que precisar. Como atingir o cume do pico mais alto do Brasil apenas com uma folha de papel?

A meu ver, pode-se achar uma solução relativamente simples. Se, ao pisar na folha de papel, eu estou mais longe do chão, concluo que, se pisasse sobre duas folhas, estaria duplamente mais longe! Ora, como tenho uma única e enorme folha, cada vez que a dobro ao meio estou a uma altura exatamente igual ao dobro daquela em que estava anteriormente. Bastaria, então, verificar quantas vezes eu precisaria dobrar ao meio minha folha de papel para atingir altura igual ou superior à do Pico da Neblina. Vejamos o quadro a seguir:

Espessura de uma folha de papel: 0,094mm

Número de dobras	Espessura obtida				Nº de folhas	Resmas (1 resma = 500 folhas)
	mm	cm	m	km		
0	0,094				1	
1	0,188				2	
2	0,376				4	
3	0,752				8	
4	1,50				16	

(continua)

(*continuação*)

Número de dobras	Espessura obtida				Nº de folhas	Resmas (1 resma = 500 folhas)
	mm	cm	m	km		
5	3,01				32	
6	6,02				64	
7	12,03	1,203			128	
8		2,406			256	
9		4,81			512	1
10		9,63			1.024	2
11		19,25			2.048	4
12		38,5			4.096	8
13		77,0			8.192	16
14		154,0	1,54		16.384	32
15			3,08		32.768	64
16			6,16		65.536	128
17			12,32		131.072	256
18			24,6		262.144	512
19			49,3		524.284	1.024
20			98,6		1.048.576	2.048
21			197,1		2.097.152	4.096
22			394,3		4.194.304	8.192
23			788,5		8.388.608	16.384
24			1.577,1		16.777.216	32.768
25			3.154,1	3,15	33.554.432	65.536
26				6,3		
27				12,6		
28				25,2		
29				50,5		
30				100,9		
31				201,9		
32				403,7		
33				807,5		
34				1.614,9		

(*continua*)

(continuação)

Número de dobras	Espessura obtida				Nº de folhas	Resmas (1 resma = 500 folhas)
	mm	cm	m	km		
35				3.229,8		
36				6.459,6		
37				12.919,3		
38				25.838,5		
39				51.677,0		
40				103.354,1		
41				206.708,2		
42				413.416,4		
43				826.832,7		
44				1.653.665,5		
45				3.307.331,0		
46				6.614.662,0		
47				13.229.323,9		
48				26.458.647,8		
49				52.917.295,6		
50				105.834.591,2	(105 milhões de quilômetros)	

2.633 voltas ao redor da Terra

Incrível, não? Perceba que, a cada dobra, multiplica-se por dois a altura obtida na dobra anterior. O exemplo mostra quanto subestimamos o potencial das pequenas medidas. Com 25 dobras de uma folha de papel consegue-se espessura maior que a altura do Pico da Neblina. Com 50 dobras, tem-se altura equivalente a mais de 2.600 voltas ao redor do planeta Terra!

Caso não acredite nesse exemplo, tente fazer uma simulação. Primeiro, pegue uma folha de papel e tente medir sua espessura com uma régua. Você não conseguirá, pois a espessura do papel é inferior a 1 milímetro. Dobre essa folha ao meio seis vezes e tente medir novamente. Surpreendeu-se? Logo você perceberá que as curvas formadas no papel dificultarão seu trabalho, mas estou desprezando esse efeito para facilitar sua compreensão. Outra forma de chegar à mesma conclusão é com um pacote de 500 folhas de papel (dessas que são utilizadas em impressoras domésticas). Comece com uma folha. Coloque uma folha em cima da primeira. Agora, em cima das duas folhas coloque mais duas e continue dobrando o tamanho da pilha até acabar o pacote. Você verá que o papel acabará antes de concluir a nona rodada...

Voltemos ao nosso exemplo do dinheiro. Espero que você esteja convencido do potencial dos pequenos valores. Muitas empresas respeitam muito os pequenos valores, e por isso fazem fortuna ao vender um número muito grande de produtos com margem de lucro muito pequena. É o caso dos hipermercados, empresas cujo faturamento anual chega à casa dos bilhões de reais. Mesmo vendendo produtos com margem de 1 ou 2 centavos sobre o preço de compra, atingem cifras de lucros de centenas de milhões de reais.

Jamais despreze os pequenos valores

Imagine que você compre um pacote de balas por determinado preço e consiga vender todas elas pelo dobro do que pagou. Imagine também alguma artimanha que pudesse convencer várias pessoas a comprar suas balas, possibilitando-lhe vender tantas balas quantas fosse capaz de comprar. Pense agora nas pessoas que oferecem balas nos semáforos a pretexto de auxiliar a família. Esses vendedores já pagaram aos ricos fornecedores de balas, no mínimo, o dobro do que elas custaram. Perceba: alguém está ficando muito rico com sua "caridade".

O que está por trás desse efeito paradoxal é o desprezo que temos por pequenos valores. Certamente você não conseguirá imaginar um meio seguro de dobrar o valor de sua poupança em curto período de tempo (se conseguir tal façanha, por favor, entre em contato comigo o mais breve possível). Mas existem alternativas para fazer seu capital crescer, e uma delas são os juros pagos pelos bancos sobre os recursos que você poupa. Juros nada mais são do que uma taxa, ou um aluguel, paga por alguém para usar um bem de outra pessoa. O bem, nesse caso, é o dinheiro. O banco oferece uma taxa de juros para que você se convença a depositar seu dinheiro na instituição, e então usará seu dinheiro para fazer empréstimos a outras pessoas, cobrando mais caro por isso. Não há segredo: quanto menos o banco paga a você e quanto mais cobra de quem pede emprestado, maior é o ganho dele.

Como a taxa de aluguel, ou juros, é paga em dinheiro, no final de um período de aplicação de seu dinheiro (um mês, por exemplo) você terá uma quantia de recursos maior do que a inicial. E, se você mantiver o dinheiro aplicado, é sobre essa nova quantia que o banco pagará novos juros, criando-se um efeito semelhante ao das dobras de papel: quanto maior a pilha que você tiver, mais rapidamente crescerá sua poupança.

O problema é que, muitas vezes, deixamos de poupar mais porque perdemos muito dinheiro. Na verdade, desprezamos o dinheiro pequeno. Jogamos dinheiro fora por costume, pois acreditamos que não vale a pena "negociar" pequenos valores.

Acredite: quanto mais pobre a pessoa, mais desperdiça. Sinceramente, não sei se o desperdício acaba sendo causa ou consequência. Você já reparou, por exemplo, no uso do papel-toalha no banheiro público ou no da empresa em que trabalha? Quem está mais bem-vestido ou ganha mais é quem usa uma folha – no máximo duas – para enxugar as mãos. Na proporção inversa da renda, vai aumentando o desperdício – uma espécie de válvula de escape psicológica para aqueles que convivem com tantas limitações de recursos. O gasto não é por necessidade ou por falta de educação, mas motivado pela escassa sensação de fartura ou de recompensa.

O mesmo acontece quando se recebe o ordenado no fim do mês. Há um forte apelo causado pelo dinheiro na mão, que nos impele ao desperdício. No começo de minha carreira, estagiei em uma grande indústria gráfica cujos funcionários almoçavam no restaurante da empresa, de estilo "bandejão", a um preço simbólico descontado da folha de pagamento – coisa de centavos. A comida nunca era ruim, sempre bem servida. Mas era incrível o que acontecia no restaurante no dia do pagamento: a grande maioria dos trabalhadores saía para comer fora da empresa, pagando muito mais pelo almoço, com a justificativa de "variar um pouquinho". E quase todos eles ganhavam apenas três ou quatro salários mínimos.

Perceba também o efeito do desprezo pelos pequenos valores quando você tem uma nota de R$ 100,00 na carteira. Provavelmente esta nota dura muito mais tempo do que cinco notas de R$ 20,00 na carteira. Isso acontece porque não pensamos duas vezes antes de comprar futilidades, já que elas custam "baratinho". Mas se eu tiver de usar uma nota de R$ 100,00 para comprar um cafezinho, um doce ou uma roupinha em promoção, vou considerar com mais juízo se essa compra vale a pena ou não. O que acontece, então, quando uma nota de R$ 20,00 vira várias notas de R$ 2,00? Ou, pior, quando recebemos troco em moedas, que são totalmente desprezadas pelos brasileiros?

O exemplo da nota de R$ 100,00 é simbólico. Todos os produtos da prateleira do supermercado são baratos. "É só um real a mais...", e lá estamos nós comprando mais um supérfluo. No caixa, os vários "só um real a mais" transformam-se em algumas centenas de reais, e aí vem o susto. O mesmo acontece com a emissão de cheques de pequeno valor ou com pequenos pagamentos com cartão de crédito. Não são nada em comparação com nossa renda, mas transformam-se num monstro devorador de ordenados no fim do mês.

Procure lembrar-se de uma situação em que perdeu ou desperdiçou dinheiro. A mais recente delas. Tenho certeza de que nos últimos 10 dias você deve ter se arrependido de fazer, com muita rapidez, seu dinheiro acabar na carteira ou suas contas se acumularem nos cheques ou no cartão de crédito. Interrompa sua leitura agora por alguns segundos e reflita.

Tempo para pensar

Se você lembrou de alguma situação, parabéns. O arrependimento consciente já é um grande passo para o amadurecimento financeiro. Nos exemplos seguintes, eu comprovo duas coisas interessantes. Em primeiro lugar, você perceberá quão frequentes são as situações cotidianas em que perdemos dinheiro. Em segundo, também perceberá que algumas das situações nas quais perdeu dinheiro nos últimos dias nem sequer foram notadas ou não passaram por sua cabeça após a leitura do parágrafo anterior. Reflita sobre estes exemplos:

Bem cedo, senhor Fulano acorda e vai buscar o leite e os pãezinhos quentes para o café da manhã. A conta dá R$ 1,90 e, ao apresentar sua nota de R$ 2,00, ele já recebe em troca a gentil pergunta com um sorriso: "Vai um chiclete?" Lá se foram 10 centavos em um arredondamento. E ele pagou acima de 5% mais caro por sua compra.

Após o café da manhã, senhor Fulano vai à loja de materiais de construção para comprar um novo tubo flexível para a pia, já que não aguenta mais ouvir sua esposa reclamar há meses da água empoçada no banheiro. Se ele tivesse feito as contas de quanto gastou de água a mais nesse período, talvez se motivasse mais cedo a consertá-la. Preço: R$ 24,85. Ao apresentar a nota de R$ 50,00, o caixa conta R$ 25,00 de troco e já vem com a pergunta: "Estou sem troco, senhor. Posso ficar devendo 15 centavos?" Fazer o quê? Mais 15 centavos por água abaixo.

Enquanto senhor Fulano comprava o tubo flexível, sua esposa estava na loja de "Quase tudo por um real" escolhendo algumas coisinhas para a casa. Comprou quatro porta-copos que custavam 99 centavos e mais três baldes que custavam R$ 1,99. Nem questionou quando a dona da loja lhe passou o valor total a pagar: R$ 10,00! Mais 7 centavos perdidos.

Até a hora do almoço daquele dia, senhor Fulano e sua esposa já haviam perdido 32 centavos. E outras oportunidades de perda viriam. Caixinha para o flanelinha que "cuida" do carro, moedas que vão para o bolso ou para o painel do carro e nunca mais são encontradas, arredondamentos em cheques – é preciso agradar ao vendedor ou é o contrário? – e muitas outras situações.

Não estou pregando um comportamento obsessivo contra perdas. Estas realmente são pouco significativas se consideradas de forma isolada. O problema é que são muito frequentes. Perceba que não é difícil perder 50 centavos por dia. Esses 50 centavos diários equivalem a R$ 15,00 por mês, ou R$ 180,00 por ano. Daria para comprar uma bela ceia de Natal no fim do ano. O problema não está no valor, está na frequência com que se perde...

Não deveria haver constrangimento em exigir o valor cobrado pelos produtos. O Código de Defesa do Consumidor garante que o lojista é obrigado a ter troco e, se não o tiver, deve dar troco a mais se o cliente assim preferir.

Ainda do ponto de vista dos pequenos valores, ocorre a falsa sensação de disponibilidade no orçamento mensal. Por ignorar os pequenos gastos cotidianos, sejam eles necessários ou não, é comum que tenhamos a sensação de que nosso dinheiro sempre conta com sobras. Afinal, os gastos que nunca esquecemos são apenas os grandes, como financiamentos do carro e da casa, escola das crianças, supermercado e plano de saúde.

Porém, se você fizesse ao menos uma vez ao ano o pequeno exercício de listar todos os gastos efetuados durante um mês, provavelmente se surpreenderia com a soma dos pequenos supérfluos, ou mesmo das pequenas necessidades. Desperdício? Não necessariamente! Quem disse que um cafezinho por dia não tem importância para quem sente sono no trabalho? Que dizer da compra de revistas e livros, para quem está acostumado a aguardar em longas filas?

O pequeno gasto nem sempre é um problema. O problema é quando ele é ignorado, acontece com certa frequência, não entra em nossas contas e ainda pensamos que há verba disponível para assumir outros gastos, como a prestação de um celular novinho. Quem pensa assim acaba acumulando dívidas sem saber por quê, e pior: ao rastrear suas contas, acaba achando que o vilão da história é o cafezinho que o mantém acordado e produtivo no trabalho. O vilão, na verdade, é seu desprezo pelos pequenos valores.

O DESCASO POR UMA BOA NEGOCIAÇÃO

Você conhece o vírus do consumo? Criado nos laboratórios de marketing, é extremamente perigoso para a humanidade. Ataca o cérebro, mas os efeitos colaterais mais graves surgem em um dos pontos mais sensíveis do corpo humano a longo prazo: o bolso.

Procure lembrar-se de uma situação em que você deixou de economizar dinheiro por não ter negociado ou por não ter analisado de maneira adequada uma proposta de compra. Assim como perdemos dinheiro com frequência impressionante, constantemente deixamos de aproveitar ao máximo o vendedor potencial que há dentro de nós ou nossa capacidade de análise.

Muitas de nossas compras são feitas por impulso, e isso já foi comprovado por diversos estudos. Segundo pesquisa realizada pelo Serviço de Proteção ao Crédito (SPC) e pela Confederação Nacional de Dirigentes Lojistas (CNDL) em 2015, 84% das pessoas admitem que compram por impulso diante de promoções. Em outras palavras, apenas 16% das pessoas garantem que não compram por impulso. Essa estatística é impressionante.

As razões de boa parte dessas compras por impulso são as eficientes estratégias de marketing das empresas, combinadas com a falta de preparo (ou educação financeira) dos consumidores. Elevados investimentos e tecnologia são utilizados para que sejamos convencidos a levar para casa um produto. Quando vamos às compras, temos como objetivo buscar produtos que nos interessam, mas temos também como destino trazer para casa os produtos que nos são empurrados com enorme astúcia por seus fabricantes e vendedores.

A todo instante somos bombardeados por apelos de marketing. Durante nossas compras em supermercados não vemos os produtos que queremos. Em vez disso, vemos embalagens feitas para nos chamar a atenção, letras e formatos chamativos, fotos de lugares e situações em que desejaríamos estar, atendentes bonitas oferecendo amostras de artigos que nunca pensamos em comprar. Artigos fúteis expostos ao lado de bens de primeira necessidade. Embalagens promocionais, embalagens novas, brindes que terão utilidade duvidosa nos armários de casa. Leve 12 e pague 10, e tantas outras promoções que lhe empurram produtos e quantidades além daqueles que você realmente planejava comprar. É claro que há casos em que essas promoções são de fato interessantes, desde que você faça uso de todos os itens adquiridos.

Se a situação que apresentei faz com que você vista a carapuça, não desanime. Você faz parte de um grupo de consumidores perfeitamente normais, aqueles que alimentam as estatísticas das estratégias de marketing das grandes empresas. Gosto de definir uma relação de compra como uma batalha. Todos os exemplos dados até aqui fazem parte de um universo de vendas pouco selvagem, aquele em que a batalha se trava entre você e o produto que está ali, quietinho, na prateleira ou na vitrine. Uma situação muito pior é aquela em que seu inimigo se traduz na figura de um vendedor, daqueles que vêm até você com um sorriso quando seu primeiro passo está a frações de segundo de tocar o piso do interior da loja.

Todos nós temos um lado comprador e um lado vendedor. Ganham mais ou perdem menos aqueles que sabem desenvolver melhor seu lado vendedor. Toda situação de compra pode ser encarada como uma luta desleal. De um lado do ringue, o cliente: inocente, em busca da realização de seus sonhos de consumo, pensando apenas em achar o produto que lhe interessa. Ao identificar o produto, e somente após isso, surge a preocupação com o preço. Do outro lado, o vendedor: escolado em técnicas de venda e programação neurolinguística, sabe identificar o cliente que encontrou o produto de seus sonhos, e nesse ponto o leão já atacou o pescoço do cervo. Quando o cliente mostra, pelos sinais de seu corpo, que é aquele o produto que tanto procurava, a luta já está perdida, é questão de tempo e astúcia do vendedor empurrar ao cliente um produto cujo preço de venda poderia ser muito mais baixo.

Há alguns anos, eu e a Adriana, minha esposa, procurávamos móveis para nosso apartamento, já que estávamos prestes a nos casar. Como acontece com todos nessa situação, estávamos superfelizes, pois planejávamos criar "nosso cantinho", e o entusiasmo era evidente em nossos olhos. Certo domingo, em um shopping de móveis e decoração, finalmente encontramos a cristaleira de nossos sonhos. Estava lá, reluzente, na vitrine de uma grande loja de decoração. Naquela tarde de domingo, aprendemos duas lições sobre a arte da compra: 1) a vitrine não foi feita para ver, mas para sermos vistos: ao entrar na loja, a vendedora já sabia, por nossa expressão de encantamento, que tínhamos encontrado a cristaleira que há muito tempo procurávamos; e 2) o processo de compra não deve ser feito a dois: a vendedora rapidamente descobriu qual de nós era o mais fraco em negociações e, quando a "parte negociadora" expunha seus argumentos contra preços, condições de pagamento e qualidade do móvel, a vendedora rapidamente olhava com cara de dó para a "parte frágil" e lastimava: "Tenho certeza de que este é o móvel de vocês, e é a última peça. A promoção é só até hoje, segunda-feira vem tabela nova, está a preço de fábrica...", e todas as outras mentiras descaradas que quase todo vendedor apresenta.

Qual deve ser sua postura em relação a compras? Antes de mais nada, esteja consciente da batalha em que está entrando. Seu dinheiro está em jogo. Você é um lutador diante de um feroz vendedor. Transforme sua cabeça, desenvolva seu lado vendedor. O prêmio a que fará jus se vencer a batalha será um atalho para sua independência financeira. Quanto mais atalhos, mais depressa o objetivo será atingido. Esteja preparado; se o vendedor perceber que você entende do jogo, não irá perder tempo e se renderá facilmente para sair em busca de um cliente inocente o mais rápido possível.

Posso listar algumas dicas valiosíssimas para suas próximas compras. São elas:

- *Ao dirigir-se a uma loja em que pretende comprar vários artigos, como um supermercado ou uma loja de materiais de construção, prepare sua lista de compras e leve-a com você. Procure ater-se ao que estava em seu plano de compras. Invariavelmente você encontrará produtos que talvez tenha esquecido de incluir na lista mas que considera necessários. Nesse caso, treine para pensar duas vezes antes de colocar no carrinho qualquer produto que estava fora da lista. Não estou sugerindo que elimine totalmente o prazer do consumo, mas que cuide melhor do orçamento. Uma ideia interessante é incluir em seu plano de compras determinado valor a ser gasto com artigos não planejados. Presenteie-se, mas sem se assustar com os valores na hora de pagar.*
- *Em algumas situações você não sabe exatamente o que vai comprar no supermercado, por isso fica muito difícil fazer uma lista. Caso típico é fazer as compras para uma festa ou para a ceia de Natal e optar pelas "novidades" à venda. Uma alternativa é fazer uma estimativa do limite de gastos e estabelecer um valor como meta. Sua ceia de Natal custará X reais este ano. Durante as compras, vá montando na loja sua lista e somando os valores na calculadora. Policie-se quanto ao limite. Respeite seu orçamento.*
- *Ao deparar com um vendedor profissional, jamais mostre que o produto que você escolheu é exatamente aquele que estava procurando. Não entregue o ouro ao bandido. Não há situação mais propícia ao vendedor profissional que aquela em que o casal com cara de recém-casado (o vendedor tem o poder de perceber o brilho de uma aliança nova a quilômetros) entra na loja de móveis com um sorriso e a expressão de "até que enfim encontramos". Faça jogo de cena. Combine com seu parceiro ou parceira as regras do jogo. Aprendam a olhar a vitrine com cara de desinteresse, entrem na loja com a desculpa de tirar uma dúvida em*

relação à textura da peça. Se o vendedor avançar, argumentem que querem ver a peça porque é igualzinha à que têm em casa. Após testar a qualidade e consultar o preço, saiam da loja e discutam entre vocês as vantagens e desvantagens do produto. Isso vale para móveis, automóveis, eletrodomésticos, obras de arte e outros bens de valor. Decididos pelo produto, voltem à loja para iniciar a pechincha.
- *Procure apontar defeitos, mesmo que eles sejam pouco significativos. Tenha certeza de que o vendedor está ocultando defeitos que aparecerão depois. Mostre-se insatisfeito com algum detalhe: cor, formato ou tamanho. Todo produto defeituoso merece desconto.*
- *Negocie todas as alternativas possíveis: cheque, cartão, pagamento à vista, parcelado, financiado. Mais adiante discutirei como avaliar adequadamente as alternativas de pagamento.*
- *Perceba as oportunidades de pechincha. Nem sempre você tirará um coelho da cartola. Não há a menor condição de pechinchar em lojas do tipo "varejão-baciada". São aquelas em que os consumidores se batem para pegar alguma peça aproveitável em meio a um monte de produtos fora de linha ou com defeito. Os vendedores ficam o tempo todo ocupados tirando pedidos e ganham comissões mínimas, têm de trabalhar com alto giro para ganhar uns trocados. Definitivamente, esqueça. A situação é bem diferente quando você entra em lojas de pouco movimento, como as de móveis ou de produtos de alto valor em centros de compra de classe média. Em algumas, é possível notar pela vitrine o desânimo de vendedores desesperados por um único cliente salvador do dia, e basta um olhar seu para que se levantem e corram até a porta com aquele sorriso acompanhado de um "Pois não?" eufórico. Essa é a vítima, diante da qual há bastante espaço para uma negociação. Entre e brigue para vencer, faça seu bolso feliz.*
- *Geralmente o preço de venda dos produtos tem diversos tipos de margem e comissão embutidos. A loja compra o produto e agrega a ele uma margem. Sobre essa margem, ainda incidem a comis-*

> são do gerente, a comissão do vendedor e a chamada "margem de negociação". Todas elas podem e devem ser reduzidas. Nunca compre sem antes fazer uma última proposta ao gerente. Repito: ao gerente, não ao vendedor. Se o gerente não for consultado, você ainda estará acima da margem mínima negociável.

Adotando algumas dessas preciosas regras de compra, você estará dando um grande passo para a construção de sua riqueza. Desenvolva seu lado vendedor, esteja pronto para o ataque. Os vendedores profissionais são treinados para vender. Portanto, aprenda a comprar agindo como um vendedor! Você não estará vendendo um produto, estará vendendo a ideia de que seu dinheiro vale muito. E ele vale mesmo.

A AUSÊNCIA DE PERCEPÇÃO FINANCEIRA

Você sabe o que é juro? Juro é o aluguel que você paga por usar uma quantia de dinheiro que não é sua. Quando você usa um imóvel que não é seu, paga aluguel. Quando usa um bem qualquer que não é seu, paga aluguel. Dinheiro é um bem como qualquer outro. A diferença é que tem o que chamamos de liquidez, podendo nos prestar uma utilidade diferente a qualquer momento, desde que não se esgote. Se eu uso o dinheiro de alguém, devo pagar juros. Em outras palavras, se eu tiver dívidas em dinheiro, essas dívidas me custarão juros.

Dívida é qualquer forma de uso de recursos de terceiros, em geral acompanhada da cobrança de juros.

Mas não é a simples existência dos juros que deve levá-lo a evitar dívidas. Dívidas fazem mal quando custam caro. Dívidas fazem mal quando os juros são excessivamente altos. Altos em relação a quê? Em relação ao que quer que você faça com o dinheiro que está tomando emprestado. Se, ao comprar um carro financiado, você sabe que irá dobrar o preço de tabela ao somar o valor da compra mais os juros, ainda assim desejará comprar o modelo escolhido ou preferirá um modelo mais popular cujo financiamento sairá mais em conta? Se, ao usar o cheque especial, você viabilizar a compra de uma obra de arte que pode ser revendida por quatro vezes o preço pago, irá se arrepender da dívida? Com a devida *percepção financeira*, é bem provável que suas dívidas lhe sejam muito úteis.

Afinal, o que é percepção financeira? Percepção financeira é pensar como um banqueiro. O banqueiro, e também o bom empreendedor, é aquele que usa o dinheiro dos outros porque sabe dar a esse dinheiro um fim que lhe renda mais do que o que tem a pagar de juros. Veja, a seguir, como é possível ganhar dinheiro sem ter dinheiro.

Você sabe como funciona um banco?

Um banco nada mais é do que uma instituição que pede dinheiro emprestado de uns para emprestar a outros. Você empresta dinheiro ao banco mesmo sem estar consciente disso. O banco trabalha com um marketing de credibilidade para que as pessoas se sintam seguras em depositar nele seu dinheiro. Para que você deixe quantias significativas de dinheiro no banco, este lhe oferece taxas de juros para que seu dinheiro fique "aplicado". O banco está usando seu dinheiro, e por isso deve lhe pagar juros. Alguns clientes deixam seu dinheiro parado na conta-corrente, sem aplicar. É a alegria dos bancos, pois seu dinheiro está à disposição deles sem que tenham de lhe pagar nada.

Como funciona um banco?

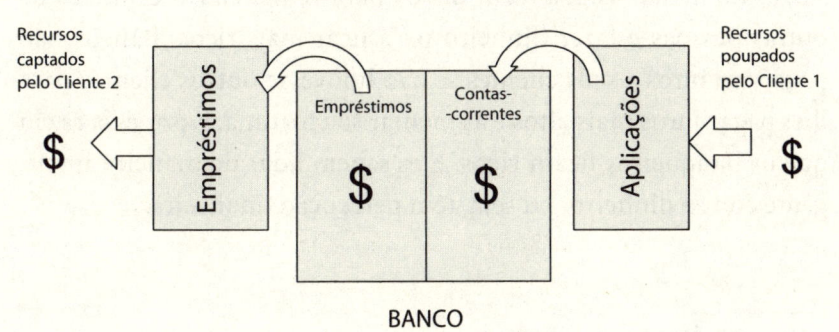

A figura anterior mostra como seu dinheiro é utilizado pelo banco. Se o Cliente 1 tem algum dinheiro acumulado e não tem onde investir esse dinheiro para fazer mais dinheiro – uma empresa ou um negócio próprio, por exemplo –, este cliente procura um banco para aplicar os recursos, pois sabe que o banco paga juros. Se o Cliente 2 tiver uma oportunidade de investimento – talvez um negócio próprio – ou estiver com falta de dinheiro, ele irá recorrer ao banco para obter recursos, mesmo sabendo que terá de pagar juros por isso. Mas o banco não fabrica dinheiro. Ninguém fabrica dinheiro. O banco ganha dinheiro exatamente na diferença entre as taxas de juros que ele paga aos clientes aplicadores e aquelas que ele cobra dos clientes que lhe pedem dinheiro emprestado. Se o banco paga a um cliente 1% ao mês para que ele deixe o dinheiro aplicado na instituição e cobra de outro cliente 3% ao mês por um empréstimo, a diferença de taxas (3% – 1% = 2 pontos percentuais de diferença) é o ganho do banco, que o mercado chama de *spread*.[1] Imagine quanto dinheiro ganha um banco cujos clientes depositam milhões de reais todos os dias em suas contas-correntes e aplicações, repassando esses milhões a outros clientes que precisam de dinheiro para fazer investimentos em seus negócios ou para cobrir sua falta de caixa. E esse *spread* não tem nada a ver com as tarifas de manutenção de contas-correntes, que engordam os ganhos dos bancos.

Perceber como funciona um banco é importante, pois fica claro que algumas pessoas – os banqueiros – usam seu *conhecimento* e sua *credibilidade* (nada além disso) para remanejar o dinheiro de outras pessoas e fazer dinheiro para ficar mais ricos. Bancos não pagariam juros a seus clientes se não houvesse outros clientes para lhes pagar juros mais altos e aumentar sua fortuna. É por essa razão que os banqueiros ficam ricos. Eles sabem lidar de maneira inteligente com o dinheiro, ou seja, têm percepção financeira.

---

[1] *Spread* significa margem, em inglês.

Quem paga juros (de um financiamento de carro ou casa ou do cheque especial) está arcando com um ônus muitas vezes desnecessário e prejudicial para obter algo antes de realmente ter condições de adquiri-lo. Ninguém deveria pensar em pagar juros se não ficasse mais rico com esses juros.

> *Evite pagar juros mais altos do que aqueles que você recebe de seus investimentos. Ou, se aceitar pagar, faça-o consciente dos custos, e de que está assumindo esses custos em função de sua falta de planejamento, ou por estar dando ao dinheiro tomado maior utilidade do que teria se poupasse.*

Da mesma forma que o banco sabe que alguns estão dispostos a lhe pagar juros altos (às vezes por falta de opção) e outros aceitam receber juros baixos por suas aplicações, sabe também que há clientes que pensam como banqueiros. Esses clientes não aceitam pagar juros altos e também exigem remuneração mais alta de suas aplicações. Negociam com os bancos taxas melhores e usam como principal argumento de negociação montantes maiores de recursos para movimentar.

Se você já pesquisou aplicações em fundos de investimento, percebeu que aplicar R$ 1.000,00 é bem diferente de aplicar R$ 1 milhão. Os fundos de investimento pagam bem mais para quem tem mais recursos. Em outras palavras, os bancos tentam "convencer" grandes investidores a trazer grandes boladas para suas contas, já que terão menos trabalho para juntar recursos para grandes empréstimos. Com isso, acabam recebendo um *spread* menor, mas que, multiplicado por volumes bem maiores de recursos, lhes rende uns bons trocados.

É por isso que os bancos possuem diferentes segmentos de atuação, denominados como no quadro a seguir.

Segmento	Característica	Juros da aplicação	Juros pagos em empréstimos	Spread do banco
Corporate	Grandes empresas que movimentam milhões diariamente.	Recebem os melhores juros do mercado para manter suas contas no banco.	Pagam os menores juros do mercado, são disputadas entre os bancos.	Pequeno em termos percentuais, em alguns casos menor que 0,1%.
Private	Pessoas físicas que têm grandes fortunas e fazem grandes aplicações.	Recebem juros quase tão bons quanto as grandes empresas.	Por serem clientes preferenciais, pagam taxas de juros pouco maiores que as do segmento Corporate.	Um pouco maior que o do segmento Corporate, mas ainda multiplicado por alguns milhões.
Middle market ou empresas	A grande maioria das empresas possui contas nessa categoria; são de porte bem menor que as do segmento Corporate.	Por não movimentarem quantias tão altas, recebem juros menores que os anteriores em suas aplicações.	Pagam juros mais altos que os do Private e os do Corporate, porém menores que os das pessoas físicas.	O spread é maior, mas isso não significa que os bancos necessariamente ganhem mais, pois os recursos movimentados são também de menor volume.
Pessoa física	A grande maioria dos clientes que aplicam quantias inferiores a R$ 100.000,00 e não recebem vantagens do banco.	Recebem os piores juros do mercado para suas aplicações, pois não têm o principal instrumento de negociação: muito dinheiro.	Quando o empréstimo se faz necessário, os juros chegam a assustar.	É o segmento de clientes que paga o maior spread. Mesmo assim, não traz grandes lucros aos bancos, pois movimenta pouco dinheiro.

Há ainda um segmento de clientes muito especiais para os bancos, que trazem grandes alegrias aos banqueiros e acionistas das instituições. Um professor meu apelidou esse segmento de PFB. É o segmento "pessoas físicas bobinhas", formado por uma grande massa de clientes ingênuos que, mesmo tendo à disposição as piores taxas de aplicação entre os segmentos do mercado, acabam optando por aplicações pouco eficientes, que não lhes rendem nada, pois não pesquisam (por falta de interesse ou, na maioria das vezes, por desconhecimento) as melhores alternativas de investimento de seus recursos. São os grandes alvos dos títulos de capitalização, da caderneta de poupança e de aplicações com artimanhas ocultas para lhes tomar algum dinheiro – como taxas de administração elevadíssimas de alguns fundos de investimento. Os clientes PFB são aqueles que, mesmo tendo as piores taxas de financiamento e empréstimo do mercado, escolhem empréstimos automáticos que lhes custam mais caro, como cheques especiais e cartões de crédito; clientes que aplicam seu dinheiro quase sem receber juros (ou não aplicam, esquecem na conta-corrente) e tomam empréstimos caríssimos, proporcionando aos bancos *spreads* maiores que 5% ao mês.

Não são os bancos os vilões de seus problemas financeiros, mas sua própria falta de conhecimento.

Veja se você já ouviu falar de uma situação parecida com esta:

Um casal está poupando todo mês R$ 100,00 para garantir o futuro de seu filho. Ambos têm muito orgulho disso, e cada mês depositam com grande prazer a poupança planejada. No fim do ano, chega o Natal. Época de peru, espumante, um pernilzinho de porco (já que ninguém é de ferro...) e dos tradicionais presentes para a família. Como ambos são profissionais autônomos, não contam com o 13º salário, como boa parte da população. Mas tudo é festa... No fim do mês, ao verificar o extrato bancário, o susto: a conta do banco estourou ou o cartão de crédito vence amanhã e o casal não tem saldo no banco para pagar. São quase R$ 1.000,00 de diferença. Após o calafrio *de susto, o marido rapidamente se recompõe, afinal ele tem um bom relacionamento bancário, o que lhe garante um limite de cheque especial, ou tem um valor mínimo a pagar no cartão e sabe que deixar para pagar um pouco no mês que vem não será ruim, já que o nome dele não ficará sujo na praça. Tirar dinheiro da poupança do Júnior? JAMAIS! Nem cogita apresentar a hipótese à esposa, isso poderia acabar com um plano tão bem bolado para o futuro da criança...*

E o casal, como um número imenso de pessoas, cai no cheque especial ou efetua o pagamento parcial do cartão de crédito, o que na prática significa que toma emprestado o que faltou pagar. Sem estresse, claro, o casal já se planeja para pagar os juros que virão pela frente, mas é só este mês, certo?

Por enquanto, esqueçamos o fato de que é aí que facilmente começa uma dívida que poderá arruinar as finanças da família. Consideremos a simples decisão de "Como pagar algo se não tenho dinheiro?".

Usar o cheque especial ou o financiamento do cartão de crédito é provavelmente a forma mais rápida de perder riqueza. Não fiz nenhuma pesquisa científica sobre isso, mas esse tipo de perda talvez possa ser equiparado à perda que temos ao comprar um carro zero-quilômetro, quando mais de 15% do valor pago já é perdido ao assinar a nota de compra. De todas as alternativas possíveis, a escolha do cheque especial ou do cartão de crédito foi a pior que o casal poderia ter feito. Vejamos duas alternativas bem mais interessantes:

1) *Todos nós que temos conta-corrente aberta em bancos podemos fazer empréstimos pessoais. Basta contatar nosso gerente e perguntar sobre as condições gerais desses empréstimos. Muitas vezes, esse tipo de informação nos é enviado pelo correio, mas o desprezamos. A modalidade chamada de empréstimo pessoal inclui taxas de juros muitas vezes inferiores à metade das taxas do cheque especial. Qual é a diferença entre o empréstimo pessoal e o cheque especial? A única diferença é que o cheque especial é*

automático, enquanto o empréstimo pessoal requer um telefonema ao gerente ou uma solicitação via internet. Ao estourar a conta-corrente, o casal poderia ter optado pelo empréstimo pessoal em lugar do cheque ou cartão. Em vez de pagar taxas de juros que podem chegar à casa dos 12% ao mês, estaria pagando cerca de 4% a 5% ao mês na pior das hipóteses. Para um empréstimo de R$ 1.000,00, eles estariam pagando juros de R$ 40,00 a R$ 50,00 por mês, em lugar dos R$ 120,00 que alguns cartões de crédito cobram. Essa seria uma alternativa somente se a família não possuísse nenhuma poupança.

2) *A alternativa anterior definitivamente não é a melhor se a família possui qualquer tipo de poupança. Passemos a usar a percepção financeira. Pensemos como banqueiros. De onde o banco tira o dinheiro para emprestar àqueles que precisam? Das aplicações que seus clientes fazem, certo? Então, no nosso exemplo, o casal estava formando a poupança de seu filho e recebendo juros de poupança, digamos, de cerca de 0,5% ao mês e ao mesmo tempo recorrendo ao cheque especial, com juros exorbitantes! Veja que spread fantástico eles estavam dando ao banco! Um perfeito exemplo de PFB. E veja que a classificação de PFB está muito próxima da realidade de muitas das pessoas que nos rodeiam. O banco lhe tira de um bolso e põe em outro, e você ainda paga por isso! Mude sua forma de pensar. Primeiro, fazer dívidas deverá estar fora de seus planos se essas dívidas não servirem para torná-lo mais rico. Discutiremos isso mais adiante. Agora, se você já estiver na situação do casal, a melhor alternativa certamente será usar a poupança para quitar suas dívidas. Não pague juros altos para continuar recebendo juros baixos das aplicações, jamais. Mas cuidado: o uso da poupança de um filho pode tornar-se motivo de desentendimento conjugal, portanto deve ser planejado. Você não precisará perder os juros da aplicação ao usá-la para quitar dívidas. Faça uma dívida com você mesmo! Ou com seu filho, no caso. Em vez de simplesmente usar a aplicação, faça um*

planejamento de como recompor o valor tirado e de como pagar juros para compensar esse "empréstimo". Castigue-se *pelo erro do mau planejamento, pague juros altos – mas para seu filho, não para o banco.*

Se o casal depositava R$ 100,00 todo mês na poupança do filho, poderia planejar da seguinte forma o "empréstimo":

Em dezembro retiram R$ 1.000,00 da poupança para pagar contas	Resolveram pagar a dívida em dez meses, de volta à poupança do filho	Jan. R$ 250,00 Fev. R$ 250,00 . . . Out. R$ 250,00
Ao fazer a retirada, estão perdendo uma remuneração de 0,5% ao mês sobre essa retirada. Em janeiro, perdem então R$ 5,00 de juros.	A partir de janeiro, depositarão os R$ 100 que já estavam previstos a cada mês mais R$ 100,00 que vão recompor os R$ 1.000,00 após dez meses, e mais "juros".	Os "juros" são propostos em R$ 50,00 por mês até a quitação da dívida, pagos com o depósito na poupança (R$ 100,00 + R$ 100,00 + R$ 50,00).

Os juros de R$ 50,00 combinados pelo casal podem parecer exorbitantes, mas eles resolveram se impor esse castigo para não esquecer mais o erro e não repeti-lo no ano seguinte. Além disso, o fazem de consciência tranquila, pois não estão pagando juros a um banco, mas a seu filho, contribuindo assim para o futuro da família.

Pense na pergunta seguinte. Ela pode ser a pergunta de sua vida: *Que tal se o banco trabalhasse para você?*

NÃO SABER AONDE SE QUER CHEGAR

"A maioria das pessoas superestima o que se pode fazer em um ano e subestima o que se pode fazer em uma década."

ANTHONY ROBBINS

É o quarto grande erro que, em geral, as pessoas pobres cometem, e por isso continuam eternamente pobres. Quais são seus objetivos?

Quanto de sua renda você planeja poupar ou investir? Em quanto tempo irá se aposentar?

Muitos têm dificuldade de responder a essas questões. Não importa o tamanho de sua ambição, não importa quanto você pretende se esforçar para atingir seus objetivos. Os meios de atingi-los precisam estar claramente definidos.

Uma pessoa bastante modesta em relação a seus planos diria:

> *"Meu objetivo é um dia ter uma casinha de campo, coisa simples, em um lugar bem tranquilo, muitas árvores frutíferas, para curtir a família, os netos, não ter mais dor de cabeça..."*

Ótimo! Já temos um objetivo. Mas não basta. *O que você está fazendo para conseguir isso?*

Trabalhando? Recebendo aquele limitado salário que paga suas contas no fim do mês? Por acaso você conta com a aposentadoria do governo para pagar suas contas? Ou com a sorte de um prêmio de loteria? Meu amigo, já começou errado! Não é você que vai conseguir essa tranquilidade! Alguém terá que trabalhar para sustentá-lo enquanto estiver lá curtindo a família, e esse alguém é o dinheiro! O *seu* dinheiro! Se você não o puser para trabalhar desde já, não será quando sua fonte de renda acabar que ele vai passar a sustentá-lo.

Já foi dito que a grande diferença entre pobres e ricos é que os ricos sabem fazer *planos*. Neste momento, a melhor decisão que você pode tomar é concentrar suas energias na elaboração de um plano.

Daqui para a frente, este livro se dedicará a ajudá-lo a construir seu plano para ficar rico. Leia com atenção, organize-se, apanhe lápis e papel para fazer suas anotações. Se for preciso, peça ajuda a alguém em alguns cálculos, mas não deixe de iniciar seu plano *agora*.

3
Preparação do terreno

"Uma jornada de mil milhas começa sempre com um simples passo."

Lao-tsé

COMO SE CONSTRÓI A RIQUEZA?

Para construir sua riqueza de forma consistente, você precisa estar consciente de sua meta. Sua atitude em relação ao dinheiro deve ser bastante objetiva. Antes de mais nada, você precisa eliminar de sua mente algumas crenças, ou mesmo bloqueios, que até hoje vinham limitando seu crescimento financeiro. Existem pelo menos cinco crenças ou bloqueios a ser eliminados para começar a formar sua fortuna. São eles:

Crença número 1: a não urgência

"Isso não é importante. Não é urgente. Não é essencial.
Outras coisas são mais importantes."

Comece agora seu plano. Não espere o fim de semana para "pensar" no assunto, não espere sua esposa ou seu marido voltar do trabalho para conversar sobre o assunto. Nada é mais urgente do que garantir seu futuro com tranquilidade.

Muitos dizem que a vida está uma loucura, que o trabalho está consumindo todas as suas horas, que não sobra tempo para nada. Todos têm compromissos, mas considere o compromisso consigo mesmo o mais importante. Você dedica a maior parte de seu dia ao emprego. A causa é justa, pois o emprego garante seu sustento, é graças a ele que o dinheiro entra em sua conta no fim do mês.

Mas não é seu emprego que vai torná-lo rico.

Você vai construir um plano para enriquecer, e vai seguir esse plano. E isso é mais importante que seu trabalho. Não estou sugerindo que você deixe de trabalhar. Pelo contrário, o salário será parte fundamental de seu plano de construir uma fortuna.

Considere, porém, que quanto mais cedo você começar a enriquecer, mais rico ficará. Por isso, dedique tempo e ponha seu plano em prática. Comece hoje. Se for preciso, durma menos na primeira noite, já que tem outros compromissos assumidos. Mas comece seu plano hoje. Ele é urgente. Seu futuro é urgente.

Crença número 2: o passado

"Eu investi no mercado de ações e quebrei a cara.

Juro que nunca farei isso novamente! Meu pai perdeu tudo!"

Não veja o passado como uma aptidão para perdas. Se você, ou algum parente seu, já perdeu dinheiro investindo, foi porque faltou informação. No mercado financeiro, sempre que alguém perde há outro que ganha.

Não se feche para as lições que a vida lhe ensinou. Estude, procure saber por que perdeu, quem ganhou em seu lugar, o que esse ganhador sabia para ter êxito. Hoje temos ao nosso alcance uma fonte infinita de informações, a internet, na qual podemos obter orientação sobre qualquer tipo de investimento.

Se você já perdeu dinheiro no passado, considere essa perda um investimento no aprendizado financeiro. E explore ao máximo essa lição para não perder de novo.

Crença número 3: a identidade

"Eu não sou bom com números. Perco dinheiro em tudo o que faço."

Um bloqueio bastante comum, usado frequentemente como justificativa para o desperdício, é a falta de habilidade com números. Sabemos que algumas pessoas definitivamente não se dão bem com cálculos e números. Para elas, a matemática é um obstáculo intransponível.

Felizmente, a habilidade com números não será fundamental para seu plano de enriquecimento. Alguns cálculos precisarão ser feitos no primeiro momento, mas você terá boa parte deles feita com a ajuda deste livro. Caso precise de informação adicional, não se envergonhe de procurar. Seja criativo, procure um parente, ligue para uma faculdade, entre em contato com sites de orientação financeira na internet. No site www.maisdinheiro.com.br você encontra diversos simuladores que vão ajudá-lo com os cálculos mais difíceis.

Tire da cabeça a ideia de que você não é rico porque não entende de números, não entende de dinheiro. Há muitos milionários que não sabem sequer assinar o nome.

Da mesma forma, não pense que você nasceu para ser pobre nem para perder dinheiro. Se já perdeu muito dinheiro, volto a afirmar, é porque errou. Acredite que poderá ganhar muito dinheiro, e esse será mais um passo importante de seu plano.

Não acredite em sorte. Quando se diz que "Fulano é um cara de sorte", normalmente se observam apenas os frutos colhidos. Esquece-se que aqueles que colhem sua sorte a plantaram em algum momento. Plante informação na cabeça e colherá decisões acertadas.

Crença número 4: o medo da perda

"Eu não suporto o risco de investir."

Assim como alguns não se dão bem com números, é natural que outras pessoas não se deem bem com o risco, com a incerteza. Há uma importante teoria de finanças que explica que maiores rentabilidades tendem a vir acompanhadas de maior risco.

Isso significa que, se você quiser ganhar dinheiro logo, terá de assumir riscos. Não significa, porém, que deva ser displicente com seus recursos. Significa que você, ao selecionar um investimento de risco, deverá estar muito bem informado sobre esse tipo de investimento para perceber rapidamente qual é a hora certa de agir para ganhar e qual é a hora certa de agir para não perder. Em outras palavras, você deverá correr riscos quando estiver pronto para administrar esses riscos e minimizar seus efeitos.

Um bom investidor não consegue acertar sempre. No mercado financeiro, considera-se um bom investidor aquele que acerta nas decisões de risco em pelo menos 70% das vezes.

Se você não estiver preparado para correr riscos, isso não será impedimento para ficar rico. Há muitos investimentos de baixíssimo risco, como a caderneta de poupança e os títulos públicos. Se não quiser correr riscos excessivos, comece a investir em aplicações de baixíssimo risco. Mas não durma no ponto. Comece a estudar alternativas melhores de investimento e vá progredindo aos poucos.

Crença número 5: os recursos

"Eu não tenho dinheiro suficiente para começar.
Eu não tenho tempo."

Essa crença é a mais infundada. Você tem, certamente, os recursos necessários para começar a ficar rico. Lembre-se de que a riqueza não decorre de quanto se ganha, mas de quanto se gasta.

Qualquer dinheiro é suficiente para começar. Com R$ 50,00 já se começa uma aplicação em poupança, ações ou previdência privada. É suficiente. Ao iniciar, você passará a desenvolver seu plano de poupar mais. Se não começar nunca, carregará pelo resto da vida a desculpa de não ter dinheiro.

Quanto ao tempo, outro recurso precioso, já o abordei quando explorei a crença da não urgência. Todos nós temos tempo. Apenas precisamos administrá-lo melhor. As coisas mais importantes vêm primeiro.

HORA DE REUNIR OS INGREDIENTES

Até este ponto, procurei ajudá-lo a criar a atitude de enriquecer. A partir de agora, teremos que pôr a mão na massa.

O primeiro passo de seu planejamento financeiro é reunir os ingredientes necessários para obter condições de colocá-lo em prática. Independentemente de sua estratégia, você precisará contar com quatro ingredientes fundamentais para viabilizar a abundância financeira: **tempo**, **juros compostos**, **decisões inteligentes** e **dinheiro**.

Primeiro ingrediente: você precisa de tempo

Isso você já tem. Talvez não o use corretamente. Se esse for o caso, pense em mudar sua rotina. Priorize o que for mais importante para você.

O tempo é um recurso valiosíssimo. Está disponível permanentemente, mas, uma vez perdido, não se recupera mais. É como a água de um rio: está sempre lá, você pode aproveitar, mas a água que já passou, se não foi utilizada, está perdida. O homem descobriu um meio de aproveitar toda a água que corre no leito de um rio construindo barragens. A água passa, vai embora, mas todo o recurso que poderia ter sido extraído dela já foi aproveitado, virou energia elétrica. Se o volume de água é maior do que o que o homem precisa, ele abre as comportas e deixa a água fluir, utilizando apenas o necessário.

Construa sua barragem do tempo: esteja consciente do tempo que passa e aproveite ao máximo esse tempo disponível. Tenha consciência de que o que passou não pode mais ser aproveitado.

O tempo, como ingrediente fundamental de seus planos, deve ser usado para fazer planos, informar-se e investir em conhecimento.

Em seus planos, o maior investimento em tempo será feito no início, para dar forma a eles. Com um plano bem elaborado, você não precisará de muito tempo para aperfeiçoá-lo ao longo da vida.

Quanto a informar-se, você precisará encontrar em sua apertada agenda algum tempo diário para manter-se atualizado sobre seus investimentos e novas oportunidades. Muito provavelmente, você já é leitor de jornal ou de algum portal de notícias. Ao investir em aprendizado financeiro, terá mais instrumentos para aproveitar melhor as informações dos jornais. Mantenha-se informado, atualize-se sempre sobre os investimentos e negócios em que aplicou seu dinheiro e nunca se canse de procurar oportunidades. Elas estão todas lá, à disposição de quem as caça.

Finalmente, uma das melhores formas de investir seu tempo é em conhecimento. Busque novas informações, antecipe-se à mídia, invista em cursos que façam de você um investidor mais eficiente. Faça simulações na internet, leia sobre técnicas de investimento, tenha opinião formada sobre bons e maus investimentos. Nem sempre os jornais são bons conselheiros. Eles o serão se você souber usar a informação.

Quanto mais tempo você dedicar a seus investimentos, mais eficientes serão suas escolhas, mais rapidamente suas reservas financeiras crescerão e de menos tempo você precisará para atingir seus objetivos de longo prazo. Por isso, pessoas de mais idade, que creem que não têm tantos anos pela frente para concretizar planos, devem passar a dedicar mais tempo a seu planejamento e a sua estratégia de investimento.

No final do ano 2000, muitos jornais destacavam a excelente rentabilidade obtida por aqueles que investiram na Bolsa de Valores de São Paulo no início daquele ano. Muitos, ao deparar com as manchetes dos jornais, perceberam que suas aplicações haviam rendido bem menos que a Bolsa de Valores. "Investir na Bolsa é bem mais interessante que em outras aplicações", foi a conclusão de muitos. Nessa época, vários pequenos investidores transferiram seus recursos para a Bolsa de Valores. De 2001 até meados de 2002, o que se viu foi uma queda incrível dos preços das ações, o que fez muitos investidores perderem grande parte de suas economias. O que faltou foi conhecimento. É ingenuidade começar a investir em aplicações de risco após longos períodos de valorização, assim como períodos de recessão podem mostrar-se excelentes oportunidades de investimento. A perda financeira que muitos sofreram em razão de aplicações ruins ocorreu por falta de dedicação de TEMPO para adquirir conhecimento sobre o setor.

Segundo ingrediente: você precisa de juros compostos

Juros compostos também são conhecidos como "ganhos sobre ganhos". Você os terá no dia em que tomar a decisão de utilizá-los. Você somente consegue juros compostos quando investe seus recursos em aplicações que permitam que a renda gerada na forma de dinheiro possa ser reinvestida, rendendo posteriormente juros sobre o investimento inicial e também sobre as rendas subsequentes. Aplicando em juros compostos, você terá, após algum tempo, uma poupança formada tanto por aplicações quanto por rendas acumuladas.

Quanto maior o prazo que dedicar ao investimento, maior será a bolada de juros acumulados.

No exemplo da folha de papel dobrada percebemos como é importante o efeito da acumulação. A primeira "aplicação" era desprezível, mas estávamos investindo em algo que nos proporcionava juros de 100% em cada dobra. Aplicações em juros compostos altos proporcionam ao nosso dinheiro o mesmo efeito da folha de papel.

O que está por trás do efeito acelerador do crescimento dos juros compostos é o conceito de "juros sobre juros". A rentabilidade é sobre o dinheiro que você aplicou e também sobre a renda que obteve dessa aplicação até o momento. Quanto mais tempo deixar seu dinheiro aplicado, maior será a renda obtida. Portanto, mais intenso será o efeito do crescimento de sua riqueza.

Veja que impressionante é o efeito, ao longo do tempo, de uma aplicação de R$ 100,00 hoje, e mais nenhuma aplicação, a juros de 0,6% ao mês acima da inflação:

Daqui a 1 ano	R$ 107,44
Daqui a 2 anos	R$ 115,44
Daqui a 5 anos	R$ 143,18
Daqui a 10 anos	R$ 205,00
Daqui a 15 anos	R$ 293,52
Daqui a 20 anos	R$ 420,26
Daqui a 30 anos	R$ 861,54
Daqui a 40 anos	R$ 1.766,16
Daqui a 50 anos	R$ 3.620,67
Daqui a 60 anos	R$ 7.422,43
Daqui a 70 anos	R$ 15.216,12

Perceba que isso é o que acontece quando se "esquecem" R$ 100,00 em uma boa aplicação durante esse tempo. Se a aplicação inicial fosse de R$ 1.000,00, teríamos, daqui a 70 anos, o equivalente a R$ 152.000,00 numa aplicação que rende 0,6% ao mês. Isso considerando-se os valores de hoje, pois estou supondo que o investidor conseguiu juros de 0,6% *acima da inflação*. Na verdade, lá na frente ele terá um valor bem maior, correspondente à simulação que fizemos mais a correção inflacionária.

Mas, da mesma forma que os juros compostos podem multiplicar incrivelmente nosso dinheiro, pequenas diferenças nos juros trazem grandes reflexos sobre nossa rentabilidade. Veja a seguinte comparação com uma única aplicação de R$ 1.000,00 na data de hoje, sem mais nenhum movimento na aplicação:

Aplicação hoje	Juros mensais	Saldo acumulado daqui a			
		10 anos	20 anos	30 anos	50 anos
R$ 1.000,00	0,50%	R$ 1.819,40	R$ 3.310,20	R$ 6.022,58	R$ 19.935,96
R$ 1.000,00	0,60%	R$ 2.050,02	R$ 4.202,57	R$ 8.615,35	R$ 36.206,66
R$ 1.000,00	0,75%	R$ 2.451,36	R$ 6.009,15	R$ 14.730,58	R$ 88.518,26
R$ 1.000,00	0,95%	R$ 3.109,99	R$ 9.672,03	R$ 30.079,90	R$ 290.933,66
R$ 1.000,00	1,00%	R$ 3.300,39	R$ 10.892,55	R$ 35.949,64	R$ 391.583,40
R$ 1.000,00	1,20%	R$ 4.184,67	R$ 17.511,49	R$ 73.279,84	R$ 1.283.238,86

Perceba como é importante a adequada seleção de seus investimentos ou de sua estratégia. Muitos desprezam pequenas variações de taxa de produtos financeiros por fidelidade ao banco ou ao gerente de contas. Dependendo do tamanho do saldo aplicado, às vezes uma pequena diferença pode significar dezenas de milhares de reais daqui a alguns anos.

Outro fator importante para que não se criem ilusões antecipadas é ter a noção exata da taxa real que pode ser aplicada aos investimentos. Investimentos tradicionais não chegam a atingir a rentabilidade de 1% ao mês. Bons investimentos de baixo risco não têm rentabilidades muito mais altas que as da poupança, apesar de seu gerente tentar convencê-lo do contrário. Se descontarmos a inflação e os impostos que incidem sobre os ganhos, os investimentos mais populares nem sequer superam o desempenho de 0,5% ao mês. *Para calcular a taxa real, devem ser deduzidos o imposto de renda, a inflação e, em alguns casos, tarifas que nem sempre são apresentadas pelos gestores de contas dos bancos.* Esses aspectos serão discutidos detalhadamente no capítulo em que trataremos da seleção de investimentos.

A MATEMÁTICA DOS JUROS COMPOSTOS

Não se assuste com as explicações a seguir. Elas estão separadas do texto justamente para que os leitores que não se sintam à vontade com a matemática saltem este trecho. Elas existem para argumentar a linha de raciocínio, mas você não perderá a linha de raciocínio da leitura principal caso não as entenda.

A explicação matemática do crescimento dos recursos poupados está no conceito de *capitalização*. A base desse conceito reside na já comentada prática de juros sobre juros, que surge quando aplicamos nosso dinheiro em um investimento e o deixamos *capitalizar* por algum tempo.

A tradução é simples. Se nosso dinheiro for aplicado em um investimento com juros capitalizados mês a mês – é quando se fala de juros mensais –, na prática será como se:

- O dinheiro ficasse emprestado ao banco por um mês.
- Após um mês, tivéssemos o dinheiro aplicado mais o valor dos juros recebidos por "alugar" algo que é nosso.
- Ao terminar o primeiro mês, resgatássemos todo o dinheiro aplicado mais os juros e o aplicássemos novamente.
- No final do segundo mês, os juros recebidos seriam maiores, pois o dinheiro aplicado foi maior.
- Assim, no final de cada mês, seria formada uma nova bolada que serviria de referência para os juros a serem recebidos no final do mês seguinte.

Dessa forma, quanto maior o tempo de aplicação, maior será o efeito de crescimento dos juros. Se aplicarmos hoje, por exemplo, R$ 100,00 a juros de 1% ao mês, teremos daqui a um mês R$ 101,00 devido à adição de mais R$ 1,00 de juros. Daqui a dois meses, receberemos juros sobre os R$ 101,00, e não sobre os R$ 100,00, o que nos renderia então R$ 1,01.

(continua)

(*continuação*)

Matematicamente, expressamos esses conceitos da seguinte forma: se investirmos P em uma data inicial, a juros mensais iguais a *i* (que são multiplicados pelo valor inicial), teremos após um mês P + P x *i*, que é o mesmo que P x (1 + *i*).

No segundo mês, receberemos juros sobre o que foi formado no final do primeiro mês. Teremos então, no final do segundo mês, os mesmos P x (1 + *i*) que tínhamos mais os juros de *i* x [P x (1 + *i*)], totalizando P x (1 + *i*) + *i* x [P x (1 + *i*)]. Essa segunda expressão pode ser escrita como P x (1 + *i*) x (1 + *i*) ou P x (1 + *i*)^2. A potência 2 indica que (1 + *i*) é multiplicado duas vezes.

Assim, em três meses, teríamos P x (1+ *i*)^3, em quatro meses, P x (1 + *i*)^4, e assim por diante. Se considerássemos um número *n* qualquer de períodos, à nossa escolha, teríamos a função do valor futuro após *n* períodos:

F = P x (1 + *i*)^n.

Essa função diz exatamente o seguinte:

Para *n* igual a	Fórmula	Valor futuro igual a
0	P x (1 + *i*)^0	P
1	P x (1 + *i*)^1	P x (1 + *i*)
2	P x (1 + *i*)^2	P x (1 + *i*) x (1 + *i*)
3	P x (1 + *i*)^3	P x (1 + *i*) x (1 + *i*) x (1 + *i*)
4	P x (1 + *i*)^4	P x (1 + *i*) x (1 + *i*) x (1 + *i*) x (1 + *i*)
5	P x (1 + *i*)^5	P x (1 + *i*) x (1 + *i*) x (1 + *i*) x (1 + *i*) x (1 + *i*)

Esta formulação é válida para uma única aplicação investida por *n* períodos. Quando consideramos aplicações periódicas, como uma poupança de R$ 100,00 todos os meses, a formulação matemática é outra, e será mostrada mais adiante.

Perceba que, até agora, estou apresentando os efeitos de uma simples aplicação feita por alguns anos, sem mais nenhum investimento. Ela cresce apenas em razão do efeito dos juros. Já imaginou o que aconteceria se você conseguisse poupar R$ 100,00 todos os meses?

Terceiro ingrediente: você precisa tomar decisões inteligentes

Você consegue isso aprendendo a avaliar as coisas de forma mais efetiva. Procure saber quais são as alternativas mais interessantes de investimento. Se não tem experiência com investimentos, esqueça, em um primeiro momento, aplicações de risco (aquelas em que há possibilidade de perda de dinheiro), como ações, moeda estrangeira e investimentos imobiliários. Comece por investimentos seguros, como planos de previdência, caderneta de poupança, fundos de renda fixa e CDBs dos melhores bancos. Mas não deixe de se manter informado mesmo sobre essas aplicações mais seguras. Consulte sempre alguém que investe grandes quantias nessas aplicações. A internet é uma fonte riquíssima de informações sobre produtos financeiros.

Com o tempo, você dominará completamente os conhecimentos sobre as aplicações mais simples. Passe então a se informar sobre aplicações mais complexas ou de maior risco. À medida que sua poupança ganhar volume, você começará a ser "sondado" por seu gerente de banco – ou mesmo de outros bancos – para conhecer novos produtos de investimento. Não aceite investir sem antes conhecer muito bem esses produtos. Gerentes de muitos bancos estão atrás de comissões imediatas, são poucos os que pensam em sua riqueza no longo prazo.

Faça planos concretos. Não sonhe apenas, mas também ponha no papel o que é preciso fazer para atingir as metas de seus planos. O segredo para atingir um objetivo é ter um objetivo bem definido.

Aprendi com um professor de marketing da FEA-USP, onde cursei meu mestrado, que bom senso mais boa informação é igual a uma boa decisão.

Bom Senso
+
Boa Informação
=
Boa Decisão

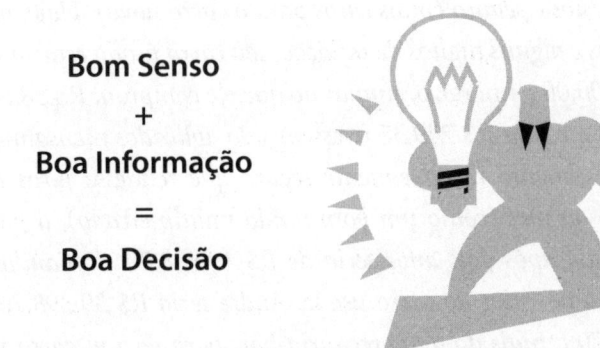

Quem tiver boa informação mas não tiver bom senso, ou vice-versa, vai decidir errado. E quem decidir errado vai agir errado. Portanto, pense como rico, decida como rico e aja como rico. Não tome decisões precipitadas nem se deixe levar pelo entusiasmo excessivo quando lhe apresentarem uma proposta de investimento.

Uma boa forma de começar a tomar decisões inteligentes em relação ao seu dinheiro é seguir duas orientações básicas para o dia a dia:

1. Pense como um banqueiro: não pague mais por algo que não lhe trará rendimento.
2. Elimine de seus planos quaisquer tipos de juros que custem mais que a rentabilidade de seus recursos. Eles consomem seu patrimônio. Poupe antes de comprar.

Há dois anos eu disse a André, um velho amigo de colégio, que ele havia feito um mau negócio na troca de seu carro. Ele acabara de fazer a compra mediante um financiamento, entregando seu veículo usado como parte do pagamento. O veículo novo lhe custou R$ 34.500,00, daí abatendo-se o valor do veículo usado dado como entrada, avaliado pela loja em R$ 20.000,00. Os R$ 14.500,00 restantes foram parcelados em 24 meses a juros de 1,8% ao mês, resultando em 24 parcelas iguais de R$ 749,37. No final de dois anos, André desembolsou R$ 17.984,88 e entregou um carro no valor de R$ 20.000,00, sem con-

tar impostos e seguro (mais caros para o carro novo). Hoje, passados dois anos e alguns dígitos de inflação, seu carro usado estaria valendo R$ 19.500,00 e um novo, similar ao que ele comprou, R$ 38.800,00.

Se os mesmos R$ 749,37 tivessem sido aplicados mensalmente em um investimento razoavelmente seguro que rendesse juros mensais de 0,8% ao mês (como um bom fundo multimercado), a poupança acumulada após dois anos seria de R$ 19.898,70. Somando-se essa poupança ao valor do carro usado, André teria R$ 39.398,70, isto é, R$ 598,70 a mais do que precisaria hoje para ter um carro novo do mesmo padrão, ou então teria conseguido comprar um carro novo em prazo menor e gastando menos. E ainda teria seu carro usado para vender!

Essa diferença é bastante significativa para quem não consegue colocar em prática um plano de independência financeira, como era o caso de meu amigo André.

Quarto ingrediente: você precisa de algum dinheiro

Qualquer quantia basta. O importante é começar e pôr seu plano em prática. Os exemplos apresentados neste capítulo mostram que, com apenas R$ 100,00, você já garante uma boa poupança no futuro. Não é suficiente, pois seu objetivo é ficar rico, e ninguém é rico com alguns milhares de reais na poupança. Mas é um começo.

Se você não tem nada para começar a investir, recomendo-lhe uma missão. Guarde dinheiro durante um mês. Não necessariamente no banco, pode ser em outro lugar seguro. Corte os desperdícios, os "arredondamentos" das contas a pagar e as compras supérfluas e guarde seus trocados em um local seguro. Para quem não tem nenhuma poupança, até um cofrinho já é um começo. Durante esse mês, você estará organizando seu planejamento para ficar rico, traçando metas, identificando suas limitações financeiras e dando formato realista a seus objetivos.

É desse plano que começaremos a tratar agora.

4
A fórmula da abundância financeira

*"Rico é aquele que recebe mais do que consome;
pobre é aquele cuja despesa é maior que a receita."*

La Bruyère (1645-1696)

COMO FICAR RICO?

Não posso garantir que seja fácil enriquecer. Com uma boa aprendizagem financeira e após certo condicionamento cerebral para pensar como rico, eliminando-se alguns vícios, talvez nesse caso eu possa afirmar que não há grandes dificuldades em enriquecer. Depende de algumas habilidades a serem desenvolvidas, como disciplina e visão de longo prazo, mas não se tornará difícil se suas metas não forem excessivamente grandiosas e se você conseguir evitar a tentação do risco sem a devida informação.

Você perceberá que existem diversos caminhos para a riqueza. Refiro-me a diversas alternativas de caminhos objetivos e realistas, excluindo-se os caminhos ilícitos – roubo, sonegação, atividades desonestas ou repudiadas pela sociedade.

Pode optar pelo caminho do risco, que lhe trará a riqueza mais rapidamente, mas talvez a tire de você com a mesma rapidez.

Pode optar pelo caminho da segurança, seguindo longa jornada, porém com riscos baixíssimos, e com um futuro bem definido a longo prazo.

Pode ainda optar pela especialização, alternando investimentos seguros com oportunidades em determinada área, como imóveis, obras de arte, carros de coleção.

Não importa o caminho que você escolha, não há como fugir da necessidade de se manter informado. Talvez o caminho da segurança seja mais interessante para aqueles que não têm tempo de buscar mais informações ou não estão dispostos a fazê-lo, mas estes devem estar cientes de que poderão perder muitas oportunidades que passarão debaixo de seu nariz.

Perceba que não há uma receita única de enriquecimento, mas todas as alternativas partem da necessidade de ter recursos para investir. A chave do sucesso financeiro está na sua capacidade de investir parte do que você ganha hoje. Conseguindo isso, você estará apto a pôr em prática uma fórmula que, se aplicada com objetividade e responsabilidade, não tem como dar errado.

A fórmula da abundância financeira é simples:

1) *Gaste menos do que ganha e invista bem a diferença.*
2) *Depois reinvista seus retornos para obter ganhos compostos, até atingir uma massa crítica de capital investido que crie a renda anual que você deseja na vida.*

Essa fórmula assegurará que chegue o dia em que você **nunca mais terá de trabalhar um só dia na vida** – e, se o fizer, será apenas porque quer!

Pode parecer bastante óbvio, mas, por infinitas razões, pouquíssimas pessoas põem essa fórmula em prática. Estamos acostumados a gastar tudo o que ganhamos, e por isso nunca conseguimos formar poupança. Não conseguimos dar nem o primeiro passo, por isso não ficamos ricos.

Vamos discutir cada um dos componentes desta fórmula tão simples: como gastar menos, como investir e como determinar sua massa crítica.

COMO GASTAR MENOS DO QUE SE GANHA?

Primeiro passo para gastar menos: eliminar perdas displicentes de dinheiro, não desprezando os pequenos valores nem uma boa negociação em cada compra. Isso já foi abordado quando discutimos os quatro erros das pessoas pobres. Elimine, na medida do possível, esses erros de sua vida.

Segundo passo para gastar menos: reduzir gastos desnecessários, enquadrando seu padrão de vida em suas possibilidades de ganho. Este é o passo mais difícil, pois esbarramos no já tratado problema cultural.

Terceiro passo para gastar menos: refletir sobre o prazer que você obtém de seu consumo e, aos poucos, substituir gastos burocráticos e que pouco agregam por outros que realmente lhe tragam qualidade de vida, bem-estar e sentimento de realização pessoal. Se, por exemplo, para enquadrar seu orçamento dentro dos limites de sua renda você deixou de ir à academia, que tal pensar em trocar seu carro por outro mais barato, para resgatar o antigo hábito saudável? Que tal ter uma moradia um pouco menor, para poder ter verba para ir ao cinema de vez em quando? É a esse tipo de escolha que chamo de qualidade de consumo. Mas é importante que, para se sentir bem, você esteja consciente de que não pode gastar mais do que ganha.

Se vivermos além de nossas posses, em algum momento pagaremos por isso.

É preciso, então, estabelecer uma forma de controlar melhor o destino de seu dinheiro. Estou certo de que, se nunca fez um controle efetivo de todos os seus gastos, você se surpreenderá ao fazê-lo pela primeira vez.

Neste ponto do planejamento, eu recomendo que pare a leitura e relacione, em uma folha de caderno ou em uma planilha eletrônica, todos os seus gastos mensais. Comece pelos mais significativos e vá seguindo de acordo com a importância ou o valor. Não importa o critério, mas é importante que se relacionem todos os gastos. Certamente você não se lembrará de todos no primeiro momento, mas, ao longo do tempo, poderá complementar sua planilha. Muitos se esquecem de que cortam cabelo, pagam pelo uso da internet, vão à feira. Outros não incluem dízimos nem doações. Alguns se esquecem dos gastos com diversão.

Em minha primeira tentativa de organizar meus gastos, demorei cerca de uma semana para fechar o formato definitivo de minha planilha de controle, dando-lhe a forma que achava mais prática. Cerca de três meses após a criação da planilha, eu ainda descobria gastos mensais que havia esquecido.

Veja uma sugestão inicial de como organizar suas informações:

	Mês 1	Mês 2
Receitas		
Salários		
Aluguéis		
Total de receitas		
Despesas fixas		
Combustível veículo		
Plano de saúde		
Escolas		
Pagto. aluguel, condomínio e IPTU		
Dízimos e doações		
Cuidados pessoais (cabelo, unhas, depilação, etc.)		
Tarifas bancárias		

(*continua*)

(continuação)

	Mês 1	Mês 2
Contas de luz, telefone e gás		
Celular		
Padaria, feira e supermercado		
Faxineira		
Diversão		
Roupas		
Despesas médicas		
Outras despesas fixas		
Total de despesas fixas		
Despesas variáveis		
Manutenção, seguro e imposto do veículo		
Presentes do mês		
Outras despesas variáveis		
Total de despesas variáveis		
Total de despesas		
Saldo disponível para investimentos		

Começando por um modelo simplificado, sugiro que você detalhe ao máximo as informações. Quanto mais detalhada for sua planilha de controle, mais facilmente você encontrará possibilidades de redução de gastos e conseguirá otimizar seus recebimentos. No site www.maisdinheiro.com.br, no link Simuladores, ofereço para download gratuito uma planilha de orçamento doméstico bastante simples e útil.

Detalhe sua renda. Veja uma sugestão de como faço isso:

	Jan.	Fev.
Receitas fixas		
Fonte de renda 1 (líquido)		
Fonte de renda 2 (líquido)		
Aluguéis		
Total de receitas fixas		
Receitas variáveis tributadas		
Consultorias		
Serviços prestados		
Consultas		
Receitas variáveis não tributadas		
Direitos autorais		
Presentes		
Total de receitas variáveis		

Aqui entram as remunerações fixas, como salários (próprio + do cônjuge) e aluguéis

Campos para inserção de valores recebidos por emissão de nota fiscal (consultores, professores, profissionais liberais em geral)

Campos para inserção de valores recebidos sem emissão de nota fiscal

Detalhe também suas despesas fixas, aquelas que ocorrem todos os meses:

Detalhamento de despesas fixas mensais
Despesas fixas
Combustível veículo 1
Combustível veículo 2
Plano de saúde
Pagamento de aluguel
Condomínio

(continua)

(continuação)

Detalhamento de despesas fixas mensais	
Doações e dízimos	
Cuidados pessoais (unhas, cortes de cabelo, depilação, etc.)	
Almoço diário	
IPTU	
Estacionamentos	
Títulos de capitalização	*Campos em que devem*
Tarifas bancárias	*ser estimados os gastos*
Conta de luz	*mensais. Devem ser*
Conta de telefone	*adicionadas quantas linhas forem necessárias,*
Conta de gás	*tomando-se o devido*
Conta de água	*cuidado de ajustar as*
Celular	*fórmulas de somatórios*
Internet/Conexão	*totais.*
TV a cabo	
Padaria	
Jornais e revistas	
Lavanderia	
Faxineira	
Feira	
Supermercado	
Diversão	
Roupas	
Despesas médicas	
Remédios/farmácia	

    Profissionais liberais normalmente prestam serviços através de empresas próprias abertas em seu nome. Se esse é seu caso e você não tem uma empresa, sugiro que faça uma consulta a um contador sobre as vantagens e desvantagens de abrir uma empresa. Aqueles que emitem nota fiscal de serviços através de empresa constituída não devem se esquecer de incluir nos custos fixos todos os impostos a serem pagos pela empresa na forma de um percentual sobre o faturamento. Melhor seria se fosse adotada uma planilha para a empresa e outra para as finanças pessoais, para não misturar gastos pessoais com os do negócio.

Alguns de seus gastos não ocorrem todos os meses, são eventuais. Outros são imprevistos, e você deve se esforçar para estimar, com base nos meses recentes, quanto de sua renda foi gasto sem previsão. Veja alguns exemplos:

Despesas variáveis
Curso de idiomas
Reformas da moradia
IPVA + seguro obrigatório
Seguro do veículo
Dedetização
Viagens extras
Correio
Presentes do mês
Manutenção do veículo

Após relacionar em uma planilha todos os seus recebimentos e gastos, veja quanto sobra no final, se é que sobra. Agora você já tem condições de saber quanto sobra – ou quanto falta – de sua renda no fim do mês. Muitos daqueles que usualmente gastam mais do que recebem não percebem isso devido ao uso de cartões de crédito ou cheque especial. Ao utilizar seus limites de crédito, criam uma riqueza aparente que não existe, pois um dia terão de prestar contas das dívidas que se acumulam. Gastos feitos no cartão de crédito devem ser incluídos na planilha do mês em que será feito o pagamento, e não no mês em que é feita a compra. Atente para isso!

Estude sua planilha de gastos. Estude cada gasto que você tem. Primeiro, veja o que pode ser reduzido sem prejudicar seu padrão de vida. Identifique os gastos supérfluos e corte-os. Priorize os gastos que mais agregam em termos de bem-estar. Proponha metas de redução de gastos, não concentre demais suas despesas. Melhor do que comprar financiado é poupar para pagar à vista e com desconto. Estude sua planilha com frequência.

A forma como você aloca seus recursos determinará seu sucesso financeiro a longo prazo. Essa alocação de recursos é mais importante do que qualquer outra decisão individual que venha a tomar.

A Teoria dos Baldes

Gosto de usar uma metáfora entre a alocação de recursos e "baldes" que recebem parte de suas receitas. Imagine que todo o seu recebimento mensal deva ser usado para preencher, sucessivamente, três baldes diferentes em ordem de importância.

O primeiro balde é o do *bem-estar*, ou dos gastos básicos. Nele você deve colocar, todos os meses, os recursos necessários para pagar os gastos de manutenção de sua vida. Entram no balde do bem-estar gastos com aluguel, condomínio, planos de saúde, seguros, alimentação, transportes e combustíveis, remédios, manutenção do automóvel, manutenção da casa, contas de consumo (água, luz, telefone, gás) e impostos. Entram também nesse balde gastos com vestuário.

A qualidade de vida, as práticas esportivas e terapias, o dízimo da igreja e as doações também entram no balde do bem-estar. São compromissos assumidos com você mesmo, portanto são gastos fundamentais de sua vida.

É também fundamental estar no balde do bem-estar o gasto com diversão. A cervejinha com os amigos, o curso de pintura ou de mergulho, as aulas de tênis, a viagem de férias. São gastos que nos fazem bem, beneficiam nossa saúde mental, portanto são fundamentais para nossa vida.

Veja que ter um plano de enriquecimento não significa passar por privações. O ponto mais importante a ressaltar aqui é que você não deve abrir mão de seu lazer nem de seus hobbies para acumular riqueza. O único porém é que esses hobbies devem ser compatíveis com seu padrão de vida ou com suas possibilidades de pagamento.

Quer curtir mais a vida? Compre uma casa mais barata ou um carro menor, para que essa vida mais simples seja também mais rica. Independentemente de suas escolhas, é fundamental que elas caibam no orçamento, ou seja, que encham o balde. Chamo de teoria dos baldes porque o tamanho é conhecido e rígido. Se a flexibilidade funcionasse, eu chamaria de teoria da bexiga.

Se seus recebimentos não forem suficientes para sustentar sua vida, você estará com problemas financeiros. Em outras palavras, seus recebimentos devem ser, no mínimo, maiores que seus gastos com bem-estar. Se não for assim, seu padrão de vida estará além de suas posses, e lamento dizer que não há outra forma de ficar rico a não ser reduzir os gastos. Repito: diminua um pouco seu padrão de vida, tenha uma vida mais simples para que ela seja mais rica.

Como investir?

Quero discutir primeiro a atitude de investir. As alternativas de investimento serão consideradas no próximo capítulo, quando poremos nosso plano em prática.

Gaste menos do que ganha e depois invista bem *a diferença*. Se seus gastos não permitirem que haja sobras de recebimentos, você não conseguirá aplicar nem o primeiro passo de nossa fórmula, que é gastar menos do que se ganha. Basta investir qualquer valor que sobrar? A resposta é *não*. Seus recebimentos devem ser suficientes para pagar pelo menos gastos mensais e planos de investimentos. Suas receitas mensais devem ser vistas como uma espécie de "abastecimento" regular que precisa ser adequadamente administrado, alimentando suas necessidades.

Se seus recebimentos forem suficientes para preencher o balde do bem-estar e houver sobras, esse balde transbordará. E somente quando ele transbordar é que você passará a encher o balde dos *investimentos*, o segundo mais importante. Não adianta tentar enchê-lo antes, pois você se verá obrigado a esvaziá-lo novamente no balde do bem-estar. As necessidades primárias devem ser atendidas primeiro. Somente quando se adquire a desejada disciplina é que a ordem de enchimento dos baldes pode se inverter.

Aqui está o ponto-chave do sucesso financeiro. Você construirá sua abundância financeira se souber dar ao balde do bem-estar o tamanho adequado a seus planos de riqueza. E serão esses planos de riqueza que determinarão o tamanho do balde dos investimentos. Quero que você perceba que planejamento financeiro não é o mesmo que cortar gastos e fazer poupança. O bom planejamento significa gastar bem e com qualidade o que ganhamos, poupando com disciplina o mínimo necessário para que nosso bom padrão de vida se sustente no futuro. Estamos tratando aqui de equilíbrio e sustentabilidade, não de obsessão pela poupança.

Se você estiver feliz com seus gastos presentes, terá a sensação de ser rico. Se, além de feliz, você poupar o suficiente para que a felicidade não falte no futuro, a riqueza deixa de ser uma sensação e passa a ser uma certeza. É preciso descobrir, então, quanto deve ser poupado por mês para garantir o que chamamos de independência financeira.

Digamos que, após algumas simulações, você estabeleça como objetivo poupar R$ 500,00 por mês. Se seus recebimentos são de R$ 2.500,00 por mês e seu balde do bem-estar é de R$ 2.550,00 por mês, você tem problemas financeiros. O ideal seria que seu balde do bem-estar fosse de R$ 2.000,00 ou menos, para ser possível completar o balde dos investimentos.

Se seus recebimentos forem mais do que suficientes para encher os dois primeiros baldes, o segundo também transbordará. E aqui surge a oportunidade de testar sua atitude em relação à riqueza. Se você vive bem e poupa o suficiente para continuar vivendo bem, o que fazer com sobras de dinheiro? Completando os dois primeiros baldes, agora você começa a encher o terceiro e último, o balde do *luxo*.

Esse balde é muito importante. Provavelmente, para fazer com que o balde número 1, o do bem-estar, fique do tamanho adequado a seus planos, você terá de cortar a maioria dos supérfluos, dos desperdícios e dos luxos. Estará cortando aquilo que lhe dá certo prazer extra, talvez adequando seus hobbies a um padrão de vida menos elevado.

Mas você não precisa esperar a aposentadoria para desfrutar a riqueza.

Fique atento: se seus recebimentos forem suficientes para encher o balde 1 e o 2, garantindo seu bem-estar e seu plano de investimentos, você poderá se dar ao luxo de curtir gastos adicionais. Pode ser uma poupança à parte para trocar seu carro por outro mais luxuoso, um televisor novo ou um home theater, roupas de grife, joias, cosméticos finos, gastos extras na viagem de férias e restaurantes de luxo. Vale também doar todo o recurso excedente, se for esse seu desejo íntimo.

Veja que, com recebimentos maiores que a necessidade, você poderia aumentar o tamanho do balde dos investimentos e ficar mais rico ou tão rico quanto você planejava, mas em um tempo menor. Eu, definitivamente, não recomendo isso. Sugiro que você mude o tamanho de seus baldes somente quando seus recebimentos sofrerem alterações significativas e consistentes – uma promoção, por exemplo.

É importante deixar espaço para curtir o luxo hoje. Aprenda a desfrutar aquilo que você tem. Colha o que foi plantado. Só não deixe de ser fiel a seu planejamento: encha antes os dois primeiros baldes. Lembre-se do pobre com dinheiro. Seu objetivo não é poupar para ter dinheiro, é poupar para garantir o futuro.

Importante! Não se deve eliminar um plano se os recebimentos forem insuficientes para encher os dois primeiros baldes. Eles podem ser insuficientes hoje, mas, se forem suficientes para encher o primeiro balde e ainda sobrar um pouco, em algum momento os dois baldes se encherão.

A razão disso está no destino dado a cada recurso colocado em cada balde. Todo o dinheiro colocado no balde do bem-estar vai embora. Você passa esses recursos a seus credores, paga as contas e nunca mais os vê. Já o balde dos investimentos não passa os recursos para terceiros. Todo o conteúdo do balde é voltado para sua poupança. A poupança, que será sempre sua, começará a gerar renda, aumentando seus recebimentos e fazendo com que mais sobras do primeiro balde comecem a encher o segundo.

Chegará o momento em que a soma de seus recebimentos mensais, mais a renda de seus investimentos, será suficiente para encher os dois baldes. Então você estará pronto para pôr em prática seu plano para atingir a independência financeira.

Seja realista. Seu objetivo não é passar a vida poupando para conseguir apenas encher o segundo balde algum dia. O ideal é começar com o segundo balde cheio hoje. Talvez tenha de atrasar seu plano alguns meses caso o balde não esteja cheio. Mas não prolongue demais seu plano, seja realista. *Desenvolva um plano que tenha sentido.*

Esse plano deve seguir o roteiro abaixo, que será detalhado no próximo capítulo:

1. *Defina o valor mensal a ser poupado com base na análise de sua real capacidade de poupar.*
2. *Busque constantemente a melhor alternativa de investimento.*
3. *Defina a massa crítica e a renda desejada para a aposentadoria.*
4. *Corrija suas aplicações mensais pela inflação.*
5. *Reserve-se o direito ao luxo quando houver sobras.*

MASSA CRÍTICA: ATINJA A INDEPENDÊNCIA FINANCEIRA

A segunda parte de nossa fórmula da abundância financeira determina que você deve **reinvestir seus retornos para obter ganhos compostos, até atingir uma massa crítica de capital investido que crie a renda anual que deseja para sua vida.**

Quanto você deseja para sua vida? Não precisamos complicar demais a resposta a essa pergunta.

Uma pessoa modesta, sem grandes ambições financeiras, pode desejar para sua vida uma renda mensal suficiente para suprir os gastos com bem-estar. Ela estará tranquila quando souber que pode ter garantida, até o fim da vida, uma renda que lhe pague todas as contas. Afinal, ninguém deseja reduzir o padrão de vida atual.

Alguém com ambições altruístas pode desejar para sua vida uma renda mensal que lhe garanta o pagamento dos gastos com bem-estar e mais uma quantia determinada que deseja ter por mês para contribuir para obras de caridade até o fim da vida.

Outro com ambições de conforto talvez deseje uma renda que lhe possibilite pagar gastos equivalentes ao dobro do que tem hoje, duplicando seu custo de vida com segurança em alguns anos.

Poderia haver o caso de alguém que tivesse como meta deixar de trabalhar – ou passar a trabalhar em uma área que realmente lhe desse prazer – ao conseguir uma renda mensal mínima infinita de R$ 10.000,00, garantida aos filhos após sua morte.

Esses são alguns exemplos do significado do termo **independência financeira**. Pessoas diferentes têm diferentes entendimentos de independência financeira.

Você terá obtido sua independência financeira quando, através de diversos investimentos, acumular uma **massa crítica** de capital que, **investida em ambiente seguro** à taxa de retorno de, digamos, 8% ao ano, forneça recursos suficientes para que suas **necessidades**

de segurança sejam atendidas para sempre sem precisar trabalhar novamente (a não ser que queira).

O que você faria se recebesse um prêmio de R$ 200.000,00?
"Puxa, daria pra fazer taaaanta coisa..." é a resposta que se ouve da grande maioria das pessoas. Algumas dizem que comprariam um carro, uma casa nova, exatamente como fazem aqueles que têm o sonho de possuir bens. Essa é a razão do ditado "Dinheiro que vem fácil vai fácil". É por isso que muitas pessoas compram sua ruína financeira ao ganhar grandes quantias de dinheiro. Elas simplesmente adquirem bens que lhes dificultarão a vida com contas e mais contas a pagar.

A soma de R$ 200.000,00 não muda a vida de ninguém. Não garante o futuro de ninguém, a não ser que se cuide bem de cada centavo desse dinheiro. Aplicado em um investimento de baixo risco, não rende muito mais que 0,5% acima da inflação mensal. Isso significa que, se hoje você ganhar um prêmio de R$ 200.000,00 e não quiser perder o que ganhou, na prática o que conseguiu foi uma renda mensal infinita de cerca de R$ 1.000,00. É isso que teria a mais se aplicasse esse dinheiro durante um mês. Se, no fim do mês, você retirasse R$ 1.000,00 da aplicação, continuaria com os R$ 200.000,00. E poderia retirar o mesmo valor dali a um mês, e mais R$ 1.000,00 em cada mês que viesse depois, não havendo outra finalidade para sua poupança. Imagine se conseguisse formar, em prazo não muito longo, uma poupança de R$ 1 milhão. Você teria uma renda garantida de R$ 5.000,00 por mês sem fazer nenhum esforço. Compensador, não?

Desde que retire somente a *renda* de seu investimento, sua riqueza jamais terminará. Se você conseguir, daqui a algum tempo, retirar uma renda que seja suficiente para pagar todo o seu gasto mensal com segurança, poderá considerar-se financeiramente independente. Se ainda estiver trabalhando, todo o seu salário poderá ser utilizado em gastos com luxo. Você ainda pode continuar investindo parte do salário e, com isso, a renda de seus investimentos aumentará a cada mês, possibilitando a ampliação de seus gastos mensais enquanto continuar trabalhando.

Existe clara distinção entre salário e renda:

Renda é a remuneração recebida por seus investimentos.

Salário é uma espécie de indenização pelo tempo em que você abriu mão de seus projetos pessoais e de sua família, dedicando-se ao trabalho e visando ter renda no futuro. Alguém lhe paga salário para que, com seu trabalho, você lhe proporcione ganhos maiores.

Perceba a grande diferença entre construir a independência financeira e já ser financeiramente independente.

Enquanto estiver construindo sua independência financeira, parte de seu salário será destinada a investimentos, o que lhe restringirá os gastos com luxo. A renda de seus investimentos não lhe servirá para nada nesse período, pois toda ela estará sendo reinvestida na antecipação de sua independência financeira.

A partir do momento em que você se declara financeiramente independente, na prática não tem mais necessidade de separar parte de seu salário, pois não depende mais dele para sobreviver. Se possui dinheiro que trabalha para você no banco, todo o seu salário pode ser gasto *como você quiser*. Pode ser totalmente gasto em luxo, se assim desejar. Pode ser 100% investido, e a cada mês sua renda será maior. Essa é realmente uma situação fabulosa. Vale a pena investir nesse plano.

Massa crítica é o volume de recursos que você precisará ter em uma aplicação segura, que gere juros sobre esses recursos, de forma que a renda gerada (após pagamento de imposto de renda e descontados os efeitos da inflação) seja suficiente para cobrir todos os seus gastos mensais com segurança.

Ao atingir a massa crítica, podemos nos considerar financeiramente independentes ou mesmo aposentados, pois todos os gastos necessários à sobrevivência são pagos sem que tenhamos de trabalhar. Isso não significa, necessariamente, que chegou o momento de parar de trabalhar.

Repare que, se conseguimos chegar até a massa crítica preenchendo todos os meses o balde do bem-estar e o dos investimentos, o momento em que atingimos a massa crítica é de celebração, pois o balde dos investimentos não se faz mais necessário.

Se continuar trabalhando, você terá:

- *Uma massa crítica que vinha crescendo com juros e com depósitos mensais e, agora, sem os depósitos mensais, estará gerando a renda necessária para pagar seus gastos com segurança.*
- *O recebimento mensal de um salário que, graças à independência financeira, não precisará mais ser utilizado em "compromissos". Ele poderá ser integralmente destinado a gastos com luxo ou a pequenos investimentos que elevem aos poucos seu padrão de vida. Talvez esse seja o momento de pensar em mudar de vida, praticar algum hobby ou trabalhar em uma atividade que lhe traga maior satisfação, mesmo com menor renda.*

É uma meta fantástica, que lhe trará grande bem-estar. Não há dúvida de que vale a pena persegui-la. Veja no quadro abaixo qual é a renda mensal obtida em cada volume de massa crítica, aplicada a juros de 8% ao ano (obtidos com certa segurança e facilidade no Brasil para quem tem boas reservas financeiras).

Quanta massa crítica será necessária para obter a renda desejada pelo resto da vida?

Massa crítica	Renda anual a 8%	Retirada mensal
R$ 500.000,00	R$ 40.000,00	R$ 3.217,00
R$ 1 milhão	R$ 80.000,00	R$ 6.434.00
R$ 2 milhões	R$ 160.000,00	R$ 12.868.00
R$ 5 milhões	R$ 400.000,00	R$ 32.170.00
R$ 10 milhões	R$ 800.000,00	R$ 64.340.00

(8% ao ano equivalem a juros compostos de 0,6434% ao mês.)

Uma forma simples de calcular a massa crítica desejada é pela relação:

$$\text{Massa crítica} = \frac{\text{Renda desejada para a aposentadoria}}{\text{Juros esperados para a aplicação que garantirá a aposentadoria}}$$

No quadro, os R$ 500.000,00 de massa crítica seriam calculados pela divisão entre os R$ 40.000,00 anuais desejados e os 8% de juros (na conta entram como 0,08).

Repare que os 8% ao ano não são uma meta utópica de rendimentos, mas exigem uma postura de investimentos ativa e sem desperdícios. No final de 2015, qualquer cidadão poderia aplicar em títulos públicos que garantiam juros iguais à inflação mais 6% ao ano. Após o desconto de taxas de custódia e imposto de renda, os rendimentos desse tipo de investimento estão muito próximos de 5,5% ao ano, com um risco considerado desprezível.[1]

Entretanto, é rendimento insuficiente para atender à meta de 8% ao ano. Para compor os desejados 8% ao ano, uma parte de seu capital precisaria ser alocada em investimentos de risco, como ações. Além da valorização dos papéis, cujo lucro na venda é isento de imposto de renda para até R$ 20.000,00 vendidos no mês, há outras possibilidades de ganho, como os dividendos (que também são isentos) e a receita de aluguel de ações, prática comum entre quem tem patrimônio de pelo menos R$ 500.000,00. Outra opção são os fundos imobiliários, que no final de 2015 estavam oferecendo ganhos líquidos superiores a 0,7% ao mês, já isentos de imposto de renda. Descontando uma inflação média de 0,2% ao mês, tínhamos um ganho líquido na casa de 0,5%, já mais próximo aos desejados 0,64%.[2]

---

[1] Para mais informações sobre investimentos em títulos públicos, acesse o site www.tesourodireto.gov.br ou consulte uma corretora de valores.
[2] Para mais informações sobre estratégias de investimento que superam com tranquilidade os 8% reais ao ano, leia *Investimentos inteligentes*, de Gustavo Cerbasi (Rio de Janeiro: Sextante, 2013).

Temos então boa parte do plano já definida. Vejamos, de forma esquemática, o que precisa ser feito:

Componentes do plano	Meios	Como?
1) Gastar menos do que se ganha	Eliminar perdas displicentes de dinheiro	a) Não desprezar pequenos valores b) Não desprezar uma boa negociação
	Reduzir gastos desnecessários	a) Relacionar minuciosamente os gastos mensais b) Estudar e revisar a planilha pessoal (familiar) com regularidade c) Cortar gastos supérfluos d) Impor limites mensais à diversão
2) Investir seguindo um plano preestabelecido	Definir o valor mensal a ser poupado	a) Estabelecer um valor que possa ser aplicado todo mês
	Selecionar a melhor alternativa de investimento	a) Ler b) Estudar c) Informar-se
	Definir a massa crítica e a renda desejada em valores atuais	a) Estabelecer a renda desejada b) Verificar qual é a poupança necessária para gerar essa renda em uma aplicação segura c) Verificar se é viável em termos de prazo d) Se necessário, remodelar o plano
3) Garantir a massa crítica	Fazer revisões periódicas do plano	a) Pedir auxílio a especialistas b) Informar-se sobre oportunidades
	Proteger seu patrimônio	a) Maturidade e consciência na hora de investir: não pôr em risco o plano b) Buscar oportunidades com segurança, mesmo que elas nunca venham a aparecer

Nosso problema agora é trabalhar com os números. Precisamos determinar o tamanho do balde dos investimentos para atingir sua independência financeira. Tenho certeza de que você gostou da ideia até aqui. Quanto deve poupar por mês? Precisamos estudar um pouco as taxas de juros. E estipular também um prazo de execução do plano e avaliar se esse prazo é bom para você. Precisamos ainda determinar sua massa crítica.

Nem todos irão sentir-se à vontade com algumas das formulações matemáticas que serão expostas no próximo capítulo, mas não desanime. Se esse for seu caso, leia as páginas a seguir com alguém que possa ajudá-lo nos conceitos de matemática financeira e suas aplicações com calculadora. Serão apresentadas também tabelas com exemplos dos cálculos mais comuns já feitos, dispensando-se qualquer cálculo matemático de seu plano.

5
Ponha seu plano em prática

"Invista seu tempo antes de investir seu dinheiro.
E teste sua estratégia antes de arriscar seu dinheiro."

AUTOR DESCONHECIDO

COMO DEFINIR SUA RENDA DESEJADA? NÃO É DIFÍCIL

Você sabe quanto precisaria investir por mês para garantir a faculdade de seu filho? E quanto precisaria investir para garantir completamente o futuro ou a aposentadoria dele? Muitos se surpreendem quando recebem a resposta a essas perguntas.

Se um pai pudesse investir R$ 50,00 todos os meses, começando na data do nascimento de seu filho e com rendimento de 10% ao ano (um rendimento arrojado, mas compatível com o longo prazo até a educação superior do filho), haveria R$ 28.820,00 no investimento feito para esse filho no dia em que completasse 18 anos.

Se mais nenhuma contribuição fosse feita, e o dinheiro continuasse crescendo a 10% ao ano, esse investimento valeria:

R$ 608.497,00 na data em que o filho completasse 50 anos;
R$ 1.578.284,00 na data em que o filho completasse 60 anos;
R$ 4.093.663,00 na data em que o filho completasse 70 anos.

Perceba que, se um pai resolvesse destinar R$ 50,00 de seus gastos mensais a um investimento para o filho, poderia garantir-lhe uma boa faculdade quando este completasse 18 anos. Mas, se esse pai conseguisse ainda desenvolver uma boa educação financeira para o filho, poderia conscientizá-lo de que, se fosse capaz de correr atrás do pagamento de seus estudos – talvez até em uma escola pública gratuita –, teria uma poupança suficiente para lhe proporcionar uma aposentadoria tranquila. Esse é um bom argumento para que seu filho possa desenvolver carreira em uma área em que se sinta bem, sem ter de fazer sua escolha baseado nas possibilidades de ganhos.

Se, em vez de R$ 50,00, o pai resolvesse destinar ao futuro de seu filho o dobro, R$ 100,00, seus benefícios também dobrariam:

R$ 57.640,00 na data em que o filho completasse 18 anos;
R$ 1.216.994,00 na data em que o filho completasse 50 anos;
R$ 3.156.569,00 na data em que o filho completasse 60 anos;
R$ 8.187.326,00 na data em que o filho completasse 70 anos.

Não é difícil: R$ 50 por mês equivalem a R$ 11,70 por semana ou a R$ 1,70 por dia e R$ 100,00 por mês equivalem a R$ 23,30 por semana ou a R$ 3,33 por dia.

Quanto dinheiro escapa semanalmente de suas mãos sem que você se dê conta?

A matemática por trás do exemplo da poupança

O conceito matemático que está por trás dos números apresentados como exemplo da poupança de seu filho não é muito complicado.

Um dos conceitos mais utilizados entre as ferramentas da matemática financeira é o de pagamentos uniformes. Basicamente, esse conceito está por trás da resposta a dois tipos de pergunta:

- *Quanto devo poupar todo mês, em valores iguais e durante certo número de meses, para formar uma poupança no valor que desejo?*
- *Se eu compro um bem através de financiamento, qual é o valor que devo pagar todo mês, durante certo número de meses, já embutidos nesse valor os juros e o real pagamento devido pela compra do bem?*

Nos dois quadros informativos adiante, exponho a matemática que está por trás da solução desse problema. Caso você não tenha muita intimidade com matemática, fórmulas e números, talvez encontre alguma dificuldade em entender essas informações. Peça ajuda para entender a leitura dos dois conceitos. Se não entender, não desanime, você pode desenvolver seu planejamento com o auxílio dos exemplos apresentados em seguida.

Uma grande poupança, que vai lhe proporcionar grande renda, será formada por uma aplicação financeira disciplinada e por uma boa massa de juros acumulados. Quanto maior o prazo de aplicação de seu dinheiro, maior será a poupança e maior será o efeito do crescimento dos juros.

Veja quanto você terá acumulado se fizer uma aplicação mensal de R$ 100,00 em um investimento que renda 0,5% ao mês após cada um dos prazos abaixo:

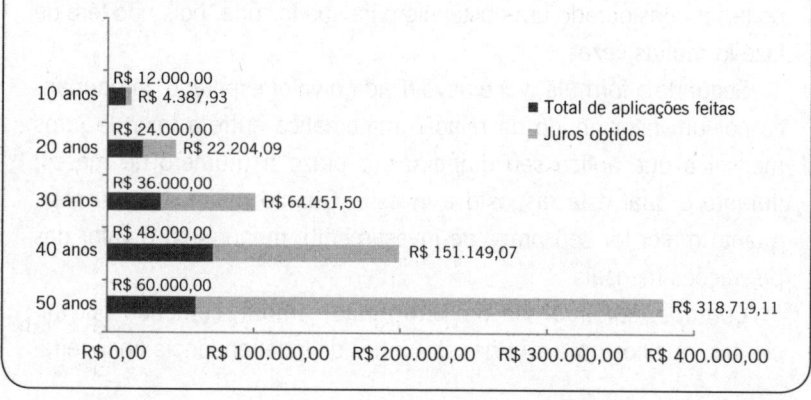

Prazo	Total de aplicações feitas	Juros obtidos
10 anos	R$ 12.000,00	R$ 4.387,93
20 anos	R$ 24.000,00	R$ 22.204,09
30 anos	R$ 36.000,00	R$ 64.451,50
40 anos	R$ 48.000,00	R$ 151.149,07
50 anos	R$ 60.000,00	R$ 318.719,11

(*continua*)

(*continuação*)

A parte esquerda do gráfico mostra quanto dinheiro você poupou durante todo o período. Perceba que não é difícil calcular esse número: se você poupa R$ 100,00 por mês, terá poupado R$ 1.200,00 em um ano. Em dez anos serão, então, R$ 12.000,00 e, em 30 anos, R$ 36.000,00. Como foi, então, que seus R$ 36.000,00 se transformaram maravilhosamente em R$ 100.451,50? De onde vieram os outros R$ 64.451,50?

A resposta são os juros. A parte direita do gráfico mostra quanto você ganhou de juros sobre suas aplicações. Quanto mais tempo deixar seu dinheiro investido, mais juros receberá sobre ele. Todo mês você recebe juros sobre o investimento que fez no mês anterior e também sobre todo o recurso que ficou poupado até aquela data. Veja no exemplo que, após 20 anos de aplicação a 0,5% ao mês, os juros acumulados quase dobram o valor poupado.

A fórmula que determina quanto deve ser investido cada mês para atingir a poupança que você deseja é a seguinte:

$$\text{Valor das aplicações regulares} = \frac{\text{Poupança desejada após } n \text{ períodos}}{\left[\frac{(1 + \text{taxa de juros})^n - 1}{\text{taxa de juros}}\right]}$$

Para aqueles que não têm muita afinidade com números, há uma dificuldade inicial de manipular essa fórmula na calculadora. Caso isso ocorra com você, não hesite em pedir ajuda a alguém. Esse não pode ser considerado um obstáculo para sua fortuna, pois não terá de fazê-lo muitas vezes.

Segundo a fórmula, você deve dividir o valor esperado da poupança por um fator obtido da relação matemática entre a taxa de juros mensal a que aplica seu dinheiro e o prazo n (número de meses) durante o qual está disposto a investir. Quanto maior o n, ou seja, quanto maior for seu prazo de investimento, menor será o valor das prestações mensais.

Contudo, cuidado! Há um erro muito comum, cometido por iniciantes, que costuma arruinar os sonhos de independência financeira.

(*continua*)

(continuação)

Lembre-se de que vivemos em um ambiente de inflação. A inflação deve ser sempre considerada em suas análises, por menor que seja. Não sabemos qual será a inflação total durante o prazo de criação da poupança. Por isso, se você espera ter uma poupança de, digamos, R$ 1 milhão, está considerando que gostaria de ter, daqui a n meses, recursos suficientes para comprar o que R$ 1 milhão compra hoje. Em outras palavras, você quer ter uma poupança *equivalente a R$ 1 milhão em valores de hoje*.

Para que isso aconteça, dois cuidados devem ser tomados:

1 A taxa de juros a ser considerada deve ser obtida de seus rendimentos menos o efeito da taxa de inflação.
2 Após calcular o valor a ser investido todo mês para que sua poupança desejada seja formada, você deve começar a investir esse valor hoje, mas o valor a ser investido no próximo mês deve ser corrigido pela taxa de inflação, e o mesmo deve ser feito, mês após mês, durante todo o período previsto.

Tomando esses cuidados, você formará a poupança desejada após o período previsto. O valor final de sua poupança, em termos nominais, será bem maior que R$ 1 milhão, mas será dinheiro suficiente para comprar, naquela data futura, o mesmo que R$ 1 milhão compra hoje. Um pouco mais adiante, explicarei em detalhes como tratar de forma adequada o efeito da inflação.

Veja como não é difícil aplicar a fórmula. Digamos que, depois de organizar seu plano, sua conclusão seja a de que quer formar uma *massa crítica* igual a R$ 2 milhões. Sua meta é formar essa poupança no prazo de 30 anos a partir de hoje, ou seja, seu n será de 360 meses (30 anos de 12 meses). Suponha que consiga, em suas aplicações, a rentabilidade de 0,8% ao mês após ter descontado o imposto de renda e também o efeito da inflação. Apesar de essa rentabilidade não ser garantida por nenhum produto financeiro, não será difícil obtê-la se você adotar uma estratégia compatível com um prazo de investimento de 30 anos. Uma sugestão é adotar um plano

(*continua*)

(*continuação*)

de previdência arrojado, com 30% ou mais do patrimônio investidos em ações, ou, então, uma combinação de metade de suas reservas em títulos públicos e a outra metade em ações ou fundos de ações. Nesse caso, seus "ingredientes" da fórmula são:

$$\text{Poupança desejada após 360 meses} = R\$\ 2.000.000,00$$
$$n = 360 \text{ meses}$$
$$\text{taxa de juros} = 0,8\% \text{ ao mês}$$

E a fórmula, então, ficaria assim:

$$\text{Valor das aplicações regulares} = \frac{R\$\ 2.000.000}{\left[\frac{(1+0,008)^{360}-1}{0,008}\right]} = \frac{R\$\ 2.000.000}{\left[\frac{(17,6113)-1}{0,008}\right]} = \frac{R\$\ 2.000.000}{\left[\frac{16,6113}{0,008}\right]}$$

$$\text{Valor das aplicações regulares} = \frac{R\$\ 2.000.000,00}{R\$\ 2.076,4132} = R\$\ 963,20 \text{ por mês}$$

Assim, se você começar investindo hoje R$ 963,20 em uma aplicação que lhe renda 0,8% ao mês líquidos e for corrigindo pela inflação o valor de seus depósitos mensais, em 30 anos terá o equivalente a R$ 2 milhões em valores de hoje. Não é nada mau, pois, se esse dinheiro continuar aplicado no mesmo investimento, você poderá passar a retirar todo mês o equivalente a R$ 16.000,00 em valores de hoje (0,8% de R$ 2 milhões), sem reduzir sua poupança.

Se, por outro lado, você ainda não sabe ao certo quanto quer ter de massa crítica para se aposentar, mas tem ideia de quanto pode poupar hoje, talvez sua dúvida seja sobre qual será sua poupança após um prazo determinado. Para responder a essa questão, basta reorganizar a fórmula anterior, fazendo assim:

$$\text{Poupança formada após } n \text{ meses} = \text{Aplicação regular possível} \times \left[\frac{(1+\text{taxa de juros})^n - 1}{\text{taxa de juros}}\right]$$

(*continua*)

(continuação)

> Se você só tiver condições de poupar, digamos, R$ 600,00 por mês, sua poupança após 30 anos será de:
>
> $$\text{Poupança após 360 meses} = R\$\ 600{,}00 \times \left[\frac{(1 + 0{,}008)^{360} - 1}{0{,}008}\right] = R\$\ 600{,}00 \times R\$\ 2.076{,}4132$$
>
> Poupança após 360 meses = R$ 1.245.847,94
>
> Tampouco será má poupança, pois, aplicada a 0,8% ao mês, lhe proporcionará uma renda mensal infinita de R$ 9.966,78, suficientes para manter um bom padrão de vida no Brasil.

O conhecimento básico das regras de exponenciação é necessário para os cálculos apresentados no quadro anterior. Existem formas alternativas e mais simples de realizar todos os cálculos de matemática financeira aqui descritos, mas para isso é preciso utilizar instrumentos adequados, como calculadoras financeiras ou planilhas eletrônicas para computadores (Excel e similares). Para aqueles que já têm familiaridade com esses instrumentos, a melhor forma de obter orientação de uso e aplicações no planejamento pessoal é consultar qualquer livro moderno de matemática financeira.

A aplicação de fórmulas matemáticas é extremamente importante para o plano, mas não precisa ser feita com frequência. Mais adiante, apresentarei algumas tabelas muito úteis ao planejamento financeiro. A consulta a elas dispensa os cálculos iniciais do plano.

FINANCIAMENTOS PELA TABELA PRICE

Muitos já ouviram falar da Tabela Price, lidam com ela no dia a dia sem saber que o fazem, mas não têm ideia do que se trata. Apresento-lhes, senhoras e senhores, a ferramenta financeira mais utilizada nas práticas comerciais de vendas com pagamento a prazo.

A Tabela Price nada mais é que uma forma de concentrar os juros no começo de um plano de financiamento, deixando para o futuro o real pagamento da dívida. Isto é feito com pagamentos uniformes (iguais em todos os meses) que embutem em seu valor os juros sobre a dívida e uma redução ou amortização dessa dívida. Como as parcelas são iguais em todos os meses e a dívida vai diminuindo aos poucos, em cada pagamento feito há uma parcela menor de juros e uma parcela maior de amortização do saldo devedor.

Tenha a mais absoluta certeza de que nem tudo o que você paga é quitação de dívidas. Se o contrato de financiamento diz que só pagará juros no início de suas prestações, isto significa que nenhum desses pagamentos reduzirá sua dívida.

Vejamos como isso funciona com um exemplo. A fórmula matemática do cálculo da prestação de um financiamento pela Tabela Price é a seguinte (i é a taxa de juros):

$$\text{Valor da prestação do financiamento} = \text{Valor a ser financiado} \times \left[\frac{(1 + \text{taxa de juros})^n \times i}{(1 + \text{taxa de juros})^n - 1}\right]$$

Veja como é simples aplicar a fórmula:

Exemplo 1

Se você quiser financiar um eletrodoméstico que à vista custa R$ 500,00 em dez parcelas iguais com juros de 3% ao mês, pagará dez parcelas de 58,62 reais, de acordo com a fórmula:

$$\text{Valor da prestação} = R\$\,500{,}00 \times \left[\frac{(1 + 0{,}03)^{10} \times 0{,}03}{(1 + 0{,}03)^{10} - 1}\right] = R\$\,500{,}00 \times \left[\frac{(1{,}3439) \times 0{,}03}{1{,}3439 - 1}\right] = R\$\,500{,}00 \times \left[\frac{(0{,}0403)}{(0{,}3439)}\right]$$

(continua)

(*continuação*)

Valor da prestação do financiamento = R$ 500,00 x 0,11723 = R$ 58,62 mensais

Para um leigo, o pagamento de juros equivale ao valor que está maior em relação aos R$ 50,00 que seriam pagos mês a mês, caso não houvesse juros. Mas, na prática, o que acontece é o seguinte:

- *No primeiro mês, você está devendo R$ 500,00 ao lojista, com juros de 3% ao mês.*
- *Os juros a serem pagos, então, no final do primeiro mês são de R$ 15,00 (R$ 500,00 vezes 3%).*
- *Se a prestação é de R$ 58,62, desse valor R$ 15,00 são juros e o restante, R$ 43,62, é amortização da dívida.*
- *Isso significa que, no segundo mês, você não está mais devendo R$ 500,00, mas esse valor menos R$ 43,62. Sua dívida é de R$ 456,38.*
- *Os juros a serem pagos no segundo mês serão de 3% sobre a dívida de R$ 456,38, ou seja, R$ 13,69.*
- *Como a parcela que você pagará é de R$ 58,62, todo o valor restante será amortização, isto é, R$ 44,93.*

Perceba que os juros ficaram menores e a amortização ficou maior. O planejamento total do financiamento ficaria assim:

	Valor da dívida	Pagamento devido	Pagamento de juros	Amortização da dívida
No ato da compra	R$ 500,00			R$ 0,00
Após 1 mês	R$ 456,38	R$ 58,62	R$ 15,00	R$ 43,62
Após 2 meses	R$ 411,46	R$ 58,62	R$ 13,69	R$ 44,92
Após 3 meses	R$ 365,19	R$ 58,62	R$ 12,34	R$ 46,27
Após 4 meses	R$ 317,53	R$ 58,62	R$ 10,96	R$ 47,66
Após 5 meses	R$ 268,44	R$ 58,62	R$ 9,53	R$ 49,09
Após 6 meses	R$ 217,88	R$ 58,62	R$ 8,05	R$ 50,56

(*continua*)

(*continuação*)

	Valor da dívida	Pagamento devido	Pagamento de juros	Amortização da dívida
Após 7 meses	R$ 165,80	R$ 58,62	R$ 6,54	R$ 52,08
Após 8 meses	R$ 122,16	R$ 58,62	R$ 4,97	R$ 53,64
Após 9 meses	R$ 56,91	R$ 58,62	R$ 3,36	R$ 55,25
Após 10 meses	R$ 0,00	R$ 58,62	R$ 1,71	R$ 56,91

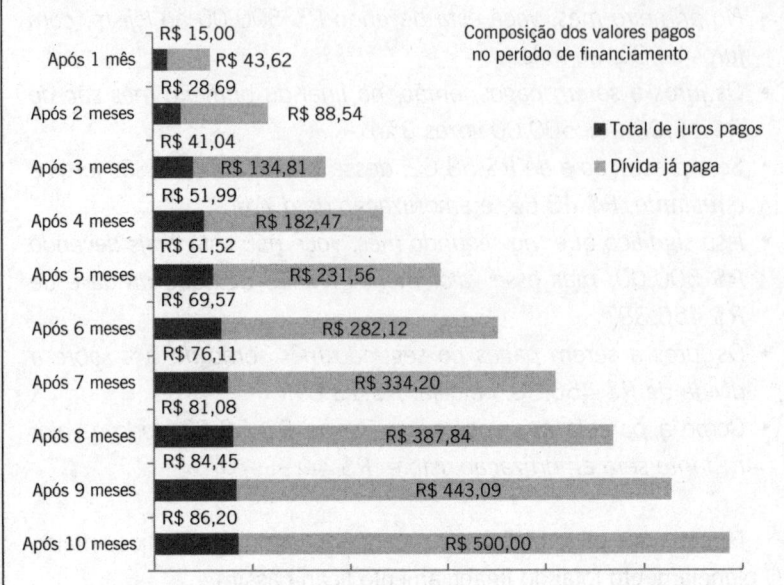

Composição dos valores pagos no período de financiamento

■ Total de juros pagos
■ Dívida já paga

	Total de juros pagos	Dívida já paga
Após 1 mês	R$ 15,00	R$ 43,62
Após 2 meses	R$ 28,69	R$ 88,54
Após 3 meses	R$ 41,04	R$ 134,81
Após 4 meses	R$ 51,99	R$ 182,47
Após 5 meses	R$ 61,52	R$ 231,56
Após 6 meses	R$ 69,57	R$ 282,12
Após 7 meses	R$ 76,11	R$ 334,20
Após 8 meses	R$ 81,08	R$ 387,84
Após 9 meses	R$ 84,45	R$ 443,09
Após 10 meses	R$ 86,20	R$ 500,00

No quadro a seguir, apresento de forma mais clara quanto já se pagou de juros e quanto realmente se amortizou de dívida:

	Valor da dívida	Soma dos pagamentos feitos	Total de juros pagos	Dívida já paga
No ato da compra	R$ 500,00			R$ 0,00
Após 1 mês	R$ 456,38	R$ 58,62	R$ 15,00	R$ 43,62
Após 2 meses	R$ 411,46	R$ 117,23	R$ 28,69	R$ 88,54
Após 3 meses	R$ 365,19	R$ 175,85	R$ 41,04	R$ 134,81

(*continua*)

(continuação)

	Valor da dívida	Soma dos pagamentos feitos	Total de juros pagos	Dívida já paga
Após 4 meses	R$ 317,53	R$ 234,46	R$ 51,99	R$ 182,47
Após 5 meses	R$ 268,44	R$ 293,08	R$ 61,52	R$ 231,56
Após 6 meses	R$ 217,88	R$ 351,69	R$ 69,57	R$ 282,12
Após 7 meses	R$ 165,80	R$ 410,31	R$ 76,11	R$ 334,20
Após 8 meses	R$ 122,16	R$ 468,92	R$ 81,08	R$ 387,84
Após 9 meses	R$ 56,91	R$ 527,54	R$ 84,45	R$ 443,09
Após 10 meses	R$ 0,00	R$ 586,20	R$ 86,20	R$ 500,00

Aos efeitos mostrados no quadro acima é que o mercado dá o nome de Tabela Price. A razão de o mercado trabalhar com um instrumento complicado como esse é a proteção ao vendedor. Se o comprador resolve devolver o produto comprado após pagar metade das parcelas, exigindo seu dinheiro de volta, na prática o que ele tem a receber são R$ 231,56. Não é nem o total pago até então (R$ 293,08) nem a metade do valor do bem (R$ 250,00), pois os juros são o aluguel pelo uso do dinheiro do vendedor, que comprou seu estoque de produtos e não exigiu pagamento à vista dessa venda. Se o comprador insatisfeito tivesse pagado à vista no ato da compra, o dinheiro do lojista poderia estar rendendo juros no banco, e essa é a razão da cobrança de juros.

UM EXEMPLO PARA PENSAR E APLICAR

Responda rápido à seguinte pergunta: *O que é melhor: comprar ou alugar um apartamento?*

Agora que você respondeu, reserve 15 segundos para pensar em duas ou três razões para a resposta dada.

Mais cedo ou mais tarde na vida, todos acabam passando pela situação de ter que decidir pela moradia. Na busca de um teto, todas as alternativas devem ser consideradas, já que o valor investido é bastante alto. Nesse momento, o que acaba moldando nossa decisão final são orientações de corretores imobiliários e palpites de parentes. "Antes de casar, arrume casa para morar." "Aluguel é como passar a vida toda pagando algo a alguém sem nunca ter nada." "Melhor pagar um pouco mais e garantir seu imóvel." "Nada como a casa própria, é uma garantia contra o desemprego."

Essas são algumas das sugestões que nos conduzem avidamente à conquista da casa própria. Já afirmei, no início deste livro, que a conquista de bens nem sempre conduz à solução de nossas necessidades. Muitas vezes, a conquista de bens nos traz grandes perdas.

Imagine-se agora diante de uma importante decisão: a casa própria. Você analisa uma série de ofertas e oportunidades, consulta diversas imobiliárias e incorporadoras e tem de decidir entre:

- *A aquisição de um imóvel na planta, a ser construído em dois anos, cujo preço à vista é de R$ 100.000,00, podendo ser financiado em 20 anos com juros de 1% ao mês mais correção monetária – o que daria uma prestação média de R$ 1.101,09.*
- *O aluguel de um imóvel do mesmo valor, com poucos anos de construção, pelo qual o proprietário está propondo um aluguel de R$ 800,00 mensais.*

Essa não é uma situação rara. A não ser que você tenha baixa renda para entrar nos programas de financiamento subsidiados pelo governo, não raramente irá se deparar com juros de cerca de 1% ao mês para financiamentos, além da correção monetária (ajustes periódicos do valor das prestações para compensar a inflação). Quanto ao aluguel, é fato raro nos dias de hoje encontrar nas capitais brasileiras imóveis cuja locação custe algo próximo de 1% do valor de venda. Se você comprar um imóvel por R$ 100.000,00, com muita sorte conseguirá alugá-lo a terceiros por R$ 750,00 ou R$ 800,00 mensais, que equivalem a 0,75% ou 0,80% do valor do investimento por mês, sem contar a tributação, a depreciação e a perda de valor pela inflação. Se tiver aplicações que lhe rendam mais que 0,7% ao mês, é melhor deixar seu dinheiro lá e continuar pagando aluguel do que "investir em imóveis". No ano de 2010, o crescimento da economia provavelmente cegou as pessoas para a possibilidade de crises no setor, e muitos acreditavam que o aumento dos preços dos imóveis seria por muitos anos. A crise iniciada em 2015 provou o contrário.

Mas você deve estar pensando: o imóvel em vista não é para investimento, é para a própria moradia. A primeira percepção que temos é de que os 20 anos para pagar facilitam bastante as coisas. Partimos, logo em seguida, para o preço do financiamento. Quanto teremos de pagar por mês? Esta pergunta é respondida por nossa conhecida fórmula:

$$\text{Valor da prestação do financiamento} = \text{Valor a ser financiado} \times \left[\frac{(1 + \text{taxa de juros})^n \times i}{(1 + \text{taxa de juros})^n - 1}\right]$$

Temos R$ 100.000,00 para ser financiados a juros de 1% ao mês por 240 meses (como nossa taxa é mensal, temos de trabalhar com meses). A fórmula nos dá, então, o valor da prestação mensal a ser paga durante 20 anos:

$$\text{Valor da prestação} = \text{R\$ } 100.000,00 \times \frac{(1 + 0,01)^{240} \times 0,01}{(1 + 0,01)^{240} - 1} = \text{R\$ } 1.101,09$$

Ao perceber que podemos ter o próprio apartamento pagando R$ 1.101,09 mensais durante 20 anos, somos levados a raciocinar da seguinte forma:

- *Se eu pagar R$ 800,00 por mês de aluguel, no final de 20 anos não serei dono do imóvel.*
- *Como não serei dono do imóvel, provavelmente terei de pagar R$ 800,00 de aluguel pelo resto da vida.*
- *Com apenas R$ 301,09 a mais por mês, em 20 anos serei dono do apartamento e não precisarei pagar mais nada!*

- *Se eu perder o emprego, pelo menos tenho a casa própria garantida.*

É exatamente esse raciocínio que leva muitos a descartar a alternativa do aluguel. Um erro! Veja como essa decisão não foi a melhor escolha:

- *Se você realmente dispõe de R$ 1.101,09 para pagar um financiamento, considere a alternativa de alugar um apartamento de padrão idêntico (o preço de venda do imóvel é o mesmo) e de investir a diferença entre o valor do aluguel e o valor do financiamento.*
- *Nesse caso, estará pagando R$ 800,00 de aluguel e investindo, todos os meses, R$ 301,09 em uma aplicação de médio risco, já que é de longo prazo. Neste exemplo, considerarei que você investiu em uma aplicação com rendimentos líquidos (após taxas, imposto de renda e inflação) de 0,6% ao mês.*
- *Ao longo de 20 anos, você passará 240 meses pagando aluguel pelo uso de um apartamento que não lhe pertence, o que na prática significa que, se desejar continuar em um imóvel do mesmo padrão, terá de ficar pagando aluguel.*
- *Mas, nos mesmos 20 anos, você formou uma poupança igual a:*

$$\text{Poupança formada após } n \text{ meses} = \text{Aplicação regular possível} \times \left[\frac{(1 + \text{taxa de juros})^n - 1}{\text{taxa de juros}} \right]$$

$$\text{Poupança formada após 240 meses} = R\$\ 301{,}09 \times \left[\frac{(1 + 0{,}006)^{240} - 1}{0{,}006} \right] = R\$\ 160.710{,}50$$

Com R$ 160.710,50 em uma aplicação que lhe renda 0,6% ao mês, terá renda mensal de R$ 964,26. Isso quer dizer que:

- *Você estará morando em um apartamento que lhe custará R$ 800,00 mensais.*

- Você terá muito mais que o valor de um apartamento na poupança, que lhe rende juros suficientes para pagar o aluguel do apartamento em que vive com sobras para fazer sua poupança crescer mais ao longo do tempo, chegando ao valor de dois apartamentos em poucos anos.

VALERIA A PENA TER ENTRADO NO FINANCIAMENTO?

Vejamos outra forma de perceber o erro do financiamento. Se você tem condições de pagar R$ 1.101,09 por mês e gostaria de ter o próprio apartamento, considere novamente a opção do aluguel. Pagando R$ 800,00 mensais de aluguel, seu plano de aquisição do imóvel seria definido pela seguinte pergunta:

Durante quanto tempo é preciso poupar R$ 301,09 mensais a juros de 0,6% ao mês para formar uma poupança igual a R$ 100.000,00?

Com o auxílio de uma calculadora financeira ou de uma planilha eletrônica, descobrimos que prestações uniformes de R$ 301,09 aplicadas a 0,6% ao mês formam R$ 100.000,00 no prazo n de 184 meses.

Incrível, não? Gastando os mesmos R$ 1.101,09 do financiamento, porém com a estratégia de alugar e poupar, você terá dinheiro suficiente para comprar um apartamento de R$ 100.000,00 em apenas 184 meses (15 anos e quatro meses), bem menos tempo que os 240 meses que o financiamento o obrigaria a pagar para ter o apartamento. Sem contar que, com dinheiro para pagar à vista, seu poder de barganha aumenta para negociar descontos de preço.

Há ainda o diferencial de que estará morando em um apartamento tão novo quanto desejar e poderá adquirir um apartamento *novo* a partir do momento que desejar, pagando à vista. Se você optasse pelo financiamento no momento inicial, seu apartamento estaria valendo bem menos na data de quitação da dívida, após 20 anos de uso.

É importante ressaltar que todos esses cálculos foram feitos supondo-se uma rentabilidade líquida de 0,6% *após inflação*. Na prática, isso significa que você terá de aplicar em investimentos que lhe rendam a taxa de inflação mais 0,6% ao mês, o que exigirá um pouco de cuidado com seu dinheiro. O total de poupança acumulada após 15 anos e quatro meses nessa aplicação será bem maior que os R$ 100.000,00 em valores nominais, porém você não conseguirá comprar nada mais do que se compra hoje com essa quantia. Esta é a conclusão natural ao supor que o valor dos imóveis novos acompanhará a inflação. Adiante, tratarei com mais detalhes os aspectos inflacionários sobre nossa poupança.

Perceba que os números são bastante factíveis e coerentes com a realidade brasileira. Não há segredo, nós realmente somos induzidos a cometer bobagens financeiras pela boa lábia de vendedores habilidosos. A melhor prática, sem dúvida nenhuma, continua sendo poupar para pagar à vista.

Quanto ao argumento de "perda do emprego", o que é mais interessante para sustentá-lo: uma poupança que valha meio apartamento ou um apartamento que valha meia dívida?

OS ARGUMENTOS SÃO QUESTIONÁVEIS?

Você pode argumentar que o valor dos imóveis pode subir acima da inflação nos próximos anos. Ou que não será capaz de obter rendimentos da ordem de 0,6% ao mês nos investimentos. Ou que o imóvel alugado traz o inconveniente de nunca sabermos se continuaremos nele ou não. Ou, então, que os incentivos do governo à compra de moradia fazem com que o valor das prestações do financiamento seja bem menor que o do aluguel.

Realmente, enquanto houver incentivo governamental, os longos prazos e os baixos juros fazem com que as prestações da casa própria caiam abaixo do preço típico de aluguel desses imóveis. Quem se depara com essa situação deve aproveitar.

Porém, eu questiono os demais contra-argumentos. Os imóveis devem se valorizar muito? Sim, enquanto a renda e o emprego continuarem crescendo, desde que uma crise não leve o governo a elevar os juros da economia. Com juros elevados, cai o interesse de investidores pelos imóveis e eles sofrem uma redução no preço. No mínimo, será mais difícil revender e você poderá ter que arcar com custos de manutenção de seu investimento.

Por outro lado, comparamos o valor do financiamento e do aluguel do mesmo imóvel, o que não faz muito sentido. Um jovem casal que está para casar e pensa em financiar seu imóvel em 20 anos provavelmente comprará um imóvel de dois ou três dormitórios em um bairro residencial, longe do trabalho, pensando em seu bem-estar ao longo desses 20 anos. Se a opção fosse pelo aluguel, poderiam alugar uma quitinete ou um loft, próximo ao trabalho de um dos dois. Além de dispensar a compra de um segundo automóvel, contariam com um aluguel bem mais barato, permitindo gastar mais com qualidade de vida e também fazer uma gorda poupança. Se surgisse alguma mudança na vida, como uma contratação por outra empresa ou a descoberta da gestação de um bebê, teriam alguns meses para providenciar a mudança.

A própria flexibilidade decorrente da opção pelo aluguel permitiria ao casal aproveitar mais oportunidades de carreira, o que elevaria a renda familiar e facilitaria a compra de um imóvel mais sofisticado depois de alguns anos, a ser pago com um financiamento em menor tempo, talvez oito ou dez anos. Bem menos juros a pagar. Sem contar que, como estamos falando da compra alguns anos depois, contariam com um bom saldo no Fundo de Garantia (FGTS) para dar de entrada no financiamento e diminuir o valor das parcelas.

O quê? Financiamento? Claro! Se a renda permite ao casal pagar um imóvel em condição vantajosa em poucos anos sem desfazer um bom planejamento para a independência financeira, por que não? Lembre-se que os financiamentos são ruins quando os juros são elevados e/ou quando o prazo é muito longo.

Último contra-argumento: você não acredita que conseguirá investir bem seu dinheiro. Se começar a estudar um pouquinho este assunto, mudará de ideia em pouco tempo. Falarei disso ainda neste capítulo.

NUNCA ESQUEÇA A INFLAÇÃO

Um dos pontos de maior fragilidade de um planejamento financeiro está na inflação. Todos sabemos que, mês após mês, os preços aumentam, nosso salário mantém-se estável e nosso poder de compra diminui. Muito frequentemente as pessoas têm a ilusão de que estão ganhando um bom dinheiro em suas aplicações financeiras, no entanto o que acontece na prática é a reposição da inflação e um pequeno rendimento real.

Por isso, não adianta ter a ilusão de que uma poupança de R$ 1 milhão resolverá nossos problemas, pois R$ 1 milhão daqui a uma ou duas décadas não comprará muito mais do que algumas dezenas de milhares de reais compram hoje. Devemos, sim, buscar uma poupança que valha, após nosso prazo de investimento, algo equivalente a R$ 1 milhão atuais. Isso significa que deveremos ter dinheiro suficiente para comprar, no futuro, o mesmo que se consegue comprar hoje com R$ 1 milhão.

A inflação funciona exatamente como uma aplicação que rende juros negativos. Se você não mexer no seu dinheiro, no mês que vem será como se tivesse menos. Na prática, terá o mesmo dinheiro, mas, como os preços dos produtos que consome aumentaram, não conseguirá comprar a mesma quantidade de produtos que compraria hoje.

Por isso, ao construir nossas simulações financeiras, devemos ignorar o crescimento do dinheiro que apenas compensa a inflação. Adotamos como juros reais apenas os rendimentos que superam a taxa de inflação para saber exatamente quanto ganhamos no período.

Proceder a esse ajuste matematicamente não é difícil. Trate a inflação como juros negativos. Veja o exemplo a seguir. Um recurso aplicado em um CDB (certificado de depósito bancário) cujo rendimento é de 1% ao mês deverá ser ajustado para obter rendimento mensal real no caso de a inflação atingir 0,3% ao mês. Veja como é feito tal ajuste:

Rendimento nominal do CDB = 1% ao mês (−)Imposto de Renda de 15% = 0,15 x 1% = 0,15%
= Renda líquida antes da inflação = 0,85% ao mês

Essa é a remuneração, ou rendimento, que você recebe por sua aplicação. Agora é preciso ver quanto você perde por causa da inflação de 0,3%. Perceba que o efeito da inflação existirá tanto para a aplicação que você tem quanto para os juros que recebe. Por isso, não deverá ser feita a correção apenas sobre a taxa de 0,85%, mas também sobre todo o fator de valorização de sua poupança, que é (1 + 0,0085). Esse fator, que deve ser multiplicado pela poupança no início do mês, significa que você terá, no final de um mês de investimento, aquele mesmo valor – daí o número 1 – acrescido de juros de 0,85% (ganho de R$ 0,85 para cada R$ 100,00 investidos, ou de R$ 0,0085 para cada R$ 1,00 investido).

Agora, para saber quanto seu dinheiro realmente valerá após o efeito da inflação, considere o seguinte raciocínio: se houver inflação de 10% ao mês, todo o seu dinheiro valerá 10% menos, pois aquilo que poderá comprar com o dinheiro custará 10% mais. Uma forma simplificada e conservadora de traduzir isso é supor que seu dinheiro valeria 10% menos se o contássemos em valores de hoje, ou que poderia comprar bens gastando 90% do valor real a ser conseguido se considerados os preços de hoje no mercado.

Para corrigir o real poder de compra de sua poupança, é preciso multiplicar o valor conseguido por um fator de correção da inflação igual a:

Fator de correção da inflação = (1 − taxa de inflação)

É daí que surge o fator de correção de nosso exemplo de inflação a 0,3% ao mês:

Fator de valorização antes da inflação = (1 + 0,0085) x Fator de correção da inflação = (1 − 0,003)
= Fator final de crescimento da riqueza = 1,0055

Esse fator nos diz que você terá, no final de um mês de investimento, 1,0055 vez mais riqueza que no início do mês. Subtraindo o número 1, você terá que a taxa de juros foi de R$ 0,0055 para cada R$ 1,00 investido, ou de 0,55% em um mês.[1] Essa taxa de juros equivale a ganhos reais de 6,77% ao ano.

A inflação mensal está disponível todos os dias nos jornais. Caso você tenha em mãos apenas uma estimativa da inflação anual, é possível calcular a taxa mensal com base na seguinte relação:

$$\text{Taxa de inflação mensal} = (1 + \text{taxa de inflação anual})^{1/12} - 1$$

Ou utilizar a tabela a seguir, que já traz os resultados desse cálculo para alguns valores de inflação anual:

Taxa de juros anual	Taxa de juros equivalente ao mês
3%	0,2466%
4%	0,3274%
5%	0,4074%
6%	0,4868%
7%	0,5654%
8%	0,6434%
9%	0,7207%

(continua)

---

[1] Para saber qual é a taxa anual dessa rentabilidade, utilize a relação $(1+i)^{12} - 1$, que para $(1,0055)^{12} - 1$ fornece uma taxa real de crescimento de 6,77% ao ano.

(*continuação*)

10%	0,7974%
12%	0,9489%
15%	1,1715%
20%	1,5309%
30%	2,2104%

A coluna da esquerda apresenta algumas sugestões de taxas anuais, enquanto à direita aparece sua taxa mensal equivalente. Se seu dinheiro permanecer aplicado durante um ano à taxa de, digamos, 3% ao ano, apresentará o mesmo rendimento que teria se permanecesse aplicado 12 meses à taxa de 0,2466% ao mês de acordo com a fórmula:

Taxa de inflação mensal = $(1 + 0,03)^{1/12} - 1 = 0,002466$ ou $0,2466\%$

Esse cuidado com a correção da taxa de juros será fundamental para fazer seu planejamento com os pés no chão. Se isso não for feito, haverá a falsa impressão de que será possível ganhar uma fortuna em pouco tempo.

O mesmo cuidado deve ser tomado com seu plano de investimentos mensais. Se você estabeleceu o plano de poupar R$ 100,00 todos os meses, comece com R$ 100,00 agora, mas não se esqueça de corrigir pela inflação os R$ 100,00 do próximo mês. Ou, para simplificar e quando a inflação não for muito superior a 5% ao ano, atualize ao menos a cada seis meses.

Talvez você precise reduzir algumas das poucas folgas do orçamento para conseguir arcar com esse aumento. Infelizmente, esse é o preço que pagamos pela inflação.

Observação: a forma como foi calculada a inflação neste livro apresenta uma simplificação teórica para facilitar a compreensão daqueles que não têm experiência com matemática financeira.

A forma correta de cálculo da inflação considera que valores futuros obtidos não serão capazes de comprar o mesmo que comprariam hoje. Por isso, *deve-se trazê-los a valor presente*, como se diz no jargão técnico, o que é feito através da seguinte fórmula:

$$\text{Taxa real após o efeito da inflação} = \left[\frac{(1 + \text{taxa de juros líquida})}{(1 + \text{taxa de inflação})}\right] - 1$$

O resultado obtido por essa fórmula difere muito pouco do obtido nos exemplos anteriores, não sendo relevante para níveis de inflação inferiores a 1% ao mês.

QUANTO E COMO INVESTIR?

Existem diversos caminhos para obter os números de seu planejamento financeiro, mas o mais simples deles é olhar do futuro para hoje. Você pode construir um plano respondendo às seguintes perguntas, em sequência:

1) *Qual é a renda que me traria independência financeira?*
2) *Quanto dinheiro eu precisaria ter em uma aplicação segura para conseguir retirar essa renda mensal e não deixar meu patrimônio encolher com tal retirada?*
3) *Dado o fato de que tenho um limite de prazo para atingir a independência financeira, quanto preciso poupar por mês para conseguir formar o montante de recursos que garantirá minha aposentadoria? Se tenho restrição de recursos (o caso mais comum), durante quanto tempo deverei poupar para conseguir formar o montante que garantirá minha aposentadoria?*

Quando propus a Marízia, uma faxineira que trabalhou para minha família, a possibilidade de garantir uma renda pelo resto da vida, mesmo deixando de trabalhar, ela rapidamente se entusiasmou com a ideia. Marízia precisaria estar disposta a fazer certo esforço durante alguns anos para conseguir manter sua renda mensal de R$ 800,00 após a aposentadoria. Sugeri a ela que planejasse se aposentar no prazo de 30 anos, quando completaria 55 anos.

Teríamos de calcular um valor a ser depositado todo mês em uma aplicação segura para que o plano desse certo, e a aplicação segura que propus foi um plano de previdência privada do tipo VGBL,[2] contratado junto a uma seguradora independente devido ao menor custo. Por ser um projeto para 30 anos, sugeri a Marízia que optasse por um plano que investisse 40% do valor poupado em ações e os outros 60% em renda fixa. Por ser um produto que inclui a renda variável das ações, não foi possível fazer uma projeção precisa da rentabilidade esperada, mas, para os cálculos iniciais, projetei ganhos de 1% ao mês. Considerei também que, quando se aposentar, Marizia sacará aos poucos o dinheiro acumulado no plano, o que a levou a contratar um plano sob o chamado regime de tributação progressiva, que lhe permitiria sacar o dinheiro com isenção de imposto.[3] Abatida a inflação média de 0,3% ao mês, calculamos a rentabilidade da aplicação em 0,697%, pela relação (1 + 0,01) x (1 − 0,003) − 1. Esses eram os dados do problema.

Como montamos o projeto de aposentadoria dela:

1) *Renda esperada para a independência financeira = R$ 800,00.*
2) *Poupança necessária a ser formada = R$ 800,00 ÷ 0,00697 = R$ 114.778,00.*
3) *Prazo: 30 anos ou 360 meses.*
4) *O valor a ser poupado por mês foi obtido por nossa conhecida fórmula de aplicações regulares:*

---

[2] Vida Gerador de Benefício Livre, tipo de plano indicado para quem não sofre desconto de imposto de renda de seu pagamento, como autônomos, profissionais liberais e assalariados isentos.
[3] Para entender mais sobre planos de previdência privada e outros tipos de investimentos inteligentes, leia meu livro *Investimentos inteligentes* (Rio de Janeiro: Sextante, 2013).

$$\text{Valor das aplicações regulares} = \frac{\text{Poupança desejada após } n \text{ períodos}}{\left[\frac{(1 + \text{taxa de juros})^n - 1}{\text{taxa de juros}}\right]} = \frac{R\$ \ 114.778}{\left[\frac{(1 + 0{,}00697)^{360} - 1}{0{,}00697}\right]}$$

De acordo com nossos cálculos, ela precisaria poupar a partir de hoje, todos os meses e durante 30 anos, R$ 71,50 (corrigidos pelo menos a cada três meses pela inflação). Uma dica importante que dei a ela foi que jamais esquecesse três pontos:

- Corrigir suas aplicações pela inflação.
- Conscientizar-se de que, por mais que a família viesse a ter uma poupança bem maior que sua renda, essa poupança não poderia ser consumida, pois seria a única garantia do futuro deles.
- Periodicamente, talvez a cada ano, seria preciso consultar algum especialista para verificar se não havia grandes mudanças que resultassem em ajustes do plano (mudança brusca de inflação ou câmbio, ou necessidade de mudar de plano de previdência).

Tomados esses cuidados, Marízia teria aos 55 anos aposentadoria própria mais os pagamentos do INSS. Ela gostou tanto do plano que fez um igualzinho para seu marido, garantindo para sua velhice um padrão de vida melhor que o atual.

Se mesmo com esse exemplo os cálculos não lhe pareceram simples, veja na tabela da página seguinte quanto precisaria poupar todo mês para garantir uma renda de R$ 1.000,00, para diferentes taxas de juros mensais.

Usar essa tabela é muito fácil; veja um exemplo. Se eu pretendo aposentar-me daqui a 20 anos e consegui uma aplicação que, após imposto de renda e inflação, gere juros de 0,65% ao mês, tudo o que preciso para ter uma renda de R$ 1.000,00 mensais é, a partir de hoje, aplicar todo mês R$ 267,75, corrigindo esse valor pela inflação mês a mês. Se desejo o dobro de renda, poupo o dobro. Se desejo

R$ 10.000,00 de aposentadoria, devo aplicar todo mês R$ 2.677,50. Se eu desse cinco anos mais ao plano, esse valor cairia para R$ 1.671,00; basta olhar a coluna vizinha, na tabela abaixo.

Caso a renda de que disponho atualmente para implementar meu plano seja insuficiente, devo rever os pontos do planejamento que podem ser aprimorados. Será preciso aumentar o investimento mensal ou o prazo necessário para a aposentadoria. Se nenhuma das duas alternativas se mostrar viável, talvez seja necessário pensar em investimentos de maiores rentabilidades. Para buscar maior rentabilidade, é preciso estar consciente de que sempre se incorrerá em maiores riscos, o que lhe exigirá mais informação e dedicação. Por isso, a escolha dessa alternativa deverá ser acompanhada, obrigatoriamente, de um investimento significativo de *tempo para estudar as aplicações*.

Juros mensais da aplicação	Prazo para se aposentar (anos)							
	5	10	15	20	25	30	35	40
0,30%	5.078,85	2.311,83	1.399,34	950,37	686,68	515,48	397,02	311,37
0,35%	4.287,69	1.919,95	1.142,14	761,63	539,84	397,19	299,57	229,89
0,40%	3.694,94	1.627,27	951,04	622,39	432,49	311,66	230,01	172,57
0,45%	3.234,45	1.400,70	803,97	516,11	351,40	247,85	178,85	131,07
0,50%	2.866,56	1.220,41	687,71	432,86	288,60	199,10	140,38	100,43
0,55%	2.566,00	1.073,77	593,84	366,31	239,03	161,20	110,98	77,45
0,60%	2.315,95	952,36	516,74	312,25	199,31	131,31	88,22	60,02
0,65%	2.104,74	850,36	452,53	267,75	167,10	107,49	70,43	46,69
0,70%	1.924,05	763,59	398,41	230,72	140,71	88,34	56,42	36,42
0,75%	1.767,78	689,01	352,36	199,63	118,93	72,83	45,32	28,48
0,80%	1.631,35	624,32	312,83	173,34	100,82	60,20	36,49	22,31
0,85%	1.511,25	567,77	278,67	150,95	85,69	49,87	29,42	17,50
0,90%	1.404,76	518,00	248,97	131,79	72,99	41,38	23,76	13,75
0,95%	1.309,73	473,94	222,99	115,31	62,28	34,39	19,21	10,81
1,00%	1.224,44	434,71	200,17	101,09	53,22	28,61	15,55	8,50

EM QUE INVESTIR?

Muitos dos leitores, céticos e com alguma experiência em investimentos, já devem ter questionado, até este ponto da leitura, a viabilidade de conseguir taxas reais de rentabilidade próximas de 0,6% ou 0,8% ao mês.

Realmente, se deixarmos nosso dinheiro eternamente aplicado em uma simples caderneta de poupança, raramente teremos rentabilidade real maior que 0,3% ao mês.

Isso acontece porque a caderneta de poupança propõe-se a pagar rentabilidade igual à taxa de referência do governo para correção de preços (TR) mais 6% ao ano. Mas a taxa de referência geralmente está abaixo da inflação real — aquela refletida em indicadores de uso mais amplo, como o Índice Geral de Preços de Mercado (IGP-M) e o Índice de Preços ao Consumidor (IPC).

Quando proponho exemplos de planejamento, utilizo taxas de 10% ao ano. Para conseguir uma taxa de rentabilidade de 10% anuais acima da inflação em um ano em que a inflação atingiu 5%, por exemplo, é preciso buscar oportunidades de rendimentos que tragam retorno de 15,8%[4] ao ano após o pagamento de impostos. Se os impostos a recolher são de 15% sobre os rendimentos, estamos falando da necessidade de retornos brutos da ordem de 18,6% ao ano. No exemplo citado, teria conseguido isso quem fizesse um investimento que lhe rendesse o equivalente ao IGP-M mais 12,65%.

Utilizando o mesmo raciocínio, veja as taxas de retorno brutas esperadas para conseguir os retornos reais de seu planejamento (considerando sempre uma inflação de 5% ao ano):

---

[4] Esse valor é obtido com o cálculo: $(1 + 10\%) \div (1 - \text{taxa de inflação}) - 1$, que resulta da fórmula *taxa real* $= (1 + \text{taxa após impostos}) \times (1 - \text{taxa de inflação}) - 1$.

Taxa de juros real esperada	Taxa de juros necessária após impostos	Taxa de juros bruta necessária antes de imposto de renda de 15%	Equivalente acima da inflação (IGP-M + ...)
3%	8,4%	9,9%	4,41%
5%	10,5%	12,4%	6,76%
6%	11,6%	13,6%	7,94%
8%	13,7%	16,1%	10,29%
10%	15,8%	18,6%	12,65%
12%	17,9%	21,1%	15,00%
15%	21,1%	24,8%	18,53%
20%	26,3%	31,0%	24,41%
30%	36,8%	43,3%	36,18%
40%	47,4%	55,7%	47,94%
50%	57,9%	68,1%	59,71%

A leitura dessa tabela não é difícil; vejamos um exemplo. Uma rentabilidade igual à inflação mais 7,94% equivale à taxa de juros de 13,6% ao ano.[5] Se lhe for oferecida a oportunidade de aplicar seus recursos em um investimento que ofereça rentabilidade igual ao IGP-M mais 7,94%, na prática você estará obtendo retorno real de 6% ao ano. Isso acontece porque o imposto de renda devora 15% de toda a rentabilidade bruta de 13,6%, inclusive um pedaço da "correção inflacionária", reduzindo o ganho líquido para 11,6%. Retirando o efeito da inflação de 5% desse número, chegamos à rentabilidade real de 6% ao ano.[6]

É impressionante como a inflação devora nossos ganhos, não? Mas não se deixe derrubar por essa constatação. Lembre-se do terceiro ingrediente da receita da fortuna: é preciso tomar decisões inteligentes.

---

[5] [(1 + 7,94%) ÷ (1 – taxa de inflação)] – 1 = (1,0794 ÷ 0,95) – 1 = 0,136 ou 13,6%.
[6] [(1 + 11,6%) x (1 – taxa de inflação)] – 1 = (1,116 x 0,95) – 1 = 0,06 ou 6%.

Veja algumas das alternativas de investimento disponíveis no mercado financeiro:

Caderneta de poupança

- **O que é?** O mais simples e popular dos investimentos, que remunera suas aplicações com taxa igual a TR + 6% ao ano.
- **Qual é o risco?** Ao contrário do que muitos pensam, a poupança também tem algum risco. Se o banco em que você tem poupança quebrar, há um fundo criado pelos bancos que serve como uma espécie de seguro e devolve até R$ 250.000,00 ao correntista prejudicado.
- **Prós:** É o único investimento popular sobre o qual não incide imposto de renda, possui baixo risco, a taxa é igual em todos os bancos e é de conhecimento público. Além disso, não se paga tarifa nenhuma para manter uma conta de poupança.
- **Contras:** Oferece baixa rentabilidade, perdendo para muitas aplicações de baixo risco do mercado.

Certificado de depósito bancário (CDB)

- **O que é?** São compromissos assumidos pelo banco de lhe oferecer determinada taxa de rentabilidade durante certo período. Bancos de menor credibilidade ou menor tamanho tendem a oferecer melhores taxas, em geral definidas como um percentual do CDI (certificado de depósito interbancário) que por sua vez tende a acompanhar a taxa Selic divulgada pelo Comitê de Política Monetária (Copom). Em alguns casos, são oferecidas taxas maiores que o CDI, isto é, mais que 100% do CDI.
- **Qual é o risco?** Se o banco quebrar, a garantia de recebimento é a mesma da poupança, limitada a R$ 250.000,00. Deve-se preferir, portanto, investir em instituições de tradição em termos de estabilidade e segurança quando suas reservas são maiores do que esse limite.

- **Prós:** Quando tem percentual de rentabilidade próximo de 100% do CDI, mostra-se como uma das melhores e mais seguras aplicações de baixo risco do mercado. Além disso, não tem incidência de taxa de administração, como acontece com os fundos.
- **Contras:** Por ter taxas predefinidas, não acompanha desequilíbrios do mercado, como aumento significativo da inflação, do dólar ou da Bolsa de Valores. Seus ganhos são tributados pela tabela regressiva de imposto de renda, cara para quem aplica por poucos meses.

Títulos públicos

- **O que são?** São compromissos assumidos pelo governo de lhe oferecer determinada taxa de rentabilidade durante um prazo definido. Existem três tipos de rentabilidade oferecidos: prefixada (com taxa previamente conhecida), pós-fixada que segue a Taxa Selic e pós-fixada que oferece um rendimento acima da inflação. Para adquiri-los, consulte o programa Tesouro Direto pelo site www.tesourodireto.gov.br.
- **Qual é o risco?** Como são títulos garantidos pelo governo, são considerados livres de risco. Na verdade, o risco é de o governo quebrar e não honrar sua dívida, hipótese remota no Brasil.
- **Prós:** Permitem aos investidores com poucos recursos (menos de R$ 200,00) investir em títulos seguros e altamente rentáveis, a um custo bastante inferior ao das taxas de administração dos fundos populares.
- **Contras:** Seus ganhos são tributados pela tabela regressiva de imposto de renda, cara para quem aplica por poucos meses.

Fundos de renda fixa prefixada

- **O que são?** Fundos nos quais os participantes (cotistas) investem seu dinheiro comprando cotas (participações no capital) de uma espécie de empresa montada especificamente para juntar as diversas quantias de patrimônio com o objetivo de adquirir títulos, em geral emitidos pelo governo e com características similares ao CDB, com taxas predefinidas. Na prática, o investidor é sócio de uma empresa e paga uma taxa a um banco ou gestor para que administre essa empresa.

- **Qual é o risco?** O maior risco é de o fundo não ser bem administrado e, em consequência disso, oferecer rentabilidade abaixo do que potencialmente pode oferecer. Isso, em geral, não ocorre quando o fundo é administrado por uma instituição de tradição e grande porte. Na eventualidade de a instituição financeira quebrar, o cotista não perde dinheiro, pois o fundo é apenas administrado pela instituição. Quando isso acontece, outra instituição é nomeada pelos principais cotistas para administrar o fundo.
- **Prós:** É uma forma de investir em papéis seguros, com a conveniência do serviço a que já estamos acostumados em nosso banco.
- **Contras:** Quando administrados por grandes bancos de varejo (nos quais a maioria das pessoas possui conta-corrente), em geral oferecem baixa rentabilidade e taxas de administração extremamente elevadas. Há casos de taxas de administração que corroem mais de um terço de toda a rentabilidade anual do fundo. Taxas superiores a 1% ao ano devem ser abominadas, pois há alternativas de investimento bem melhores no mercado. Podem trazer perda de patrimônio nos momentos de alta de juros, em geral quando a economia fica instável ou desaquecida.

Fundos DI

- **O que são?** Possuem as características típicas de um fundo, tendo como objetivo acompanhar as oscilações das taxas de

juros através da negociação de títulos públicos que acompanham a taxa Selic.
- **Qual é o risco?** Como acompanham de perto o comportamento dos juros de mercado, podem trazer ganhos significativos quando esses juros aumentam, assim como podem reduzir os ganhos caso os juros caiam.
- **Prós:** São uma forma de acompanhar os juros, que em geral crescem em épocas de recessão.
- **Contras:** Possuem taxas de administração normalmente muito elevadas para quem está começando a investir.

Fundos derivativos

- **O que são?** Fundos que investem em títulos de elevado risco, como contratos futuros e opções, podendo trazer desde ganhos elevadíssimos até a perda, em alguns casos, de parte considerável ou até do total do patrimônio investido.
- **Qual é o risco?** Quando administrados por instituições consideradas arrojadas, podem trazer tanto os melhores quanto os piores resultados entre as alternativas de investimento. Deve-se optar por fundos derivativos que apresentem estabilidade de ganhos em um histórico de pelo menos dois anos em instituições de grande tradição.
- **Prós:** Oportunidade de ganhos acima da média do mercado e acesso a produtos financeiros que exigem profundo conhecimento do negociador.
- **Contras:** Têm taxas de administração elevadas e há elevado risco de perda.

Fundos cambiais

- **O que são?** Fundos que investem em títulos que pagam juros em dólar ou em euro. Os juros em geral são baixos, perdem

das demais aplicações. Mas, quando o dólar sofre forte valorização, o investidor ganha os juros mais a variação cambial.
- **Qual é o risco?** Se o dólar se desvalorizar, o investidor também perde dinheiro.
- **Prós:** Acompanham a variação cambial, mostrando ser uma boa alternativa em situações de crise interna da economia.
- **Contras:** Há taxas de administração elevadas que praticamente anulam o rendimento que é obtido acima da variação do câmbio, e existem perdas quando a moeda brasileira está em alta.

Imóveis
- **O que são?** O mais tradicional dos investimentos, com reduzido risco de perda.
- **Qual é o risco?** Por serem ativos físicos, estão sujeitos a ação do tempo, invasões, grilagem e eventual decadência da localidade geográfica.
- **Prós:** Segurança e tangibilidade.
- **Contras:** Não há garantia de que o imóvel seja alugado nem que haja interessados na recompra, o que pode gerar custos consideráveis para o investidor.

Fundos imobiliários
- **O que são?** Fundos que investem em participações no mercado imobiliário, acompanhando as valorizações desse mercado. São ideais para quem quer investir em imóveis sem correr o risco de concentrar seus recursos em um único negócio.
- **Qual é o risco?** São produtos com liquidez reduzida, o que significa que pode não ser fácil obter os recursos de volta quando se pensa em desistir da aplicação. É um investimento de risco médio, pois dilui o capital dos cotistas em diversos imóveis.

- **Prós:** Investem em ativos concretos, evitando grandes perdas em uma eventual crise do mercado financeiro, como aconteceu neste início de século na Argentina. Além disso, os rendimentos provenientes dos aluguéis dos imóveis do fundo são isentos de imposto de renda, o que é uma vantagem considerável em relação a investir diretamente em imóveis.
- **Contras:** Baixa liquidez, ou seja, possível dificuldade de revenda. É um investimento recomendado para quem pretende manter-se de renda, como aposentados.

Ações

- **O que são?** Participações nos resultados de empresas, que distribuem dividendos (partes de seus resultados) quando ocorrem lucros. No mercado brasileiro, muitas vezes se negociam ações muito mais pelo potencial de valorização de seu preço no mercado do que pelo próprio dividendo.
- **Qual é o risco?** Expectativas ruins sobre a empresa fazem com que os investidores se desinteressem das ações, podendo reduzir drasticamente seu preço. Isso pode acontecer pela simples divulgação de uma má notícia pela empresa.
- **Prós:** Quando operadas com bom conhecimento de mercado, podem trazer grande valorização do patrimônio.
- **Contras:** Exigem conhecimento do comportamento do mercado, da empresa, da economia e da política, além de oferecer elevado risco.

Fundos de ações

- **O que são?** Fundos que adquirem ações, em geral procurando oferecer a seus cotistas uma rentabilidade próxima da renda média das ações de todo o mercado ou de um mercado específico (ações de empresas geradoras de energia, por exemplo).

- **Qual é o risco?** A rentabilidade está sujeita às incertezas de mercado e à especulação dos grandes investidores.
- **Prós:** São a forma mais simples de negociar ações, exigindo mais o entendimento de como se comportam a economia e o mercado do que o conhecimento das empresas em si.
- **Contras:** Taxas de administração, exposição a riscos econômicos e políticos e grande instabilidade de comportamento, o que exige mais experiência dos investidores.

Fundos balanceados ou multimercados

- **O que são?** Fundos que atuam com características mistas dos fundos já citados, procurando contrabalançar os riscos excessivos de alguns deles.
- **Qual é o risco?** O risco desse tipo de fundo costuma ser menor que o dos demais fundos de risco, e sua rentabilidade também costuma ser menos instável. São uma alternativa interessante para quem não quer apenas as opções mais conservadoras de investimento.
- **Prós:** Podem trazer rentabilidade acima da média em momentos de estabilidade. Não há tanto risco quanto em ações e derivativos e também não "engessam" a rentabilidade, como acontece na renda fixa.
- **Contras:** Incidência de taxas de administração elevadas e ocorrência de perda quando há mudanças abruptas de mercado, acompanhando movimentos das ações e dos juros com intensidade mais moderada.

Plano gerador de benefício livre (PGBL)

- **O que é?** É o serviço de planejamento financeiro em sua essência, porém administrado por uma instituição financeira. Planos como o que proponho neste livro podem ser contra-

tados através de um banco ou de uma seguradora para, a partir de determinada data, obter direito a uma renda ou a um saldo que pode ser resgatado. O PGBL é recomendado apenas para quem sofre retenção de imposto de renda no contracheque.
- **Qual é o risco?** Baixíssimo risco, pois os recursos são investidos em fundos específicos de previdência, em que todos os cotistas têm objetivos semelhantes e de longo prazo.
- **Prós:** Permite abater o imposto de renda da pessoa física sobre até 12% dos ganhos anuais, viabilizando a aplicação de recursos que seriam retidos pelo governo. É uma alternativa bastante recomendável para quem declara imposto de pessoa física através da declaração completa de ajuste anual.
- **Contras:** Há incidência de imposto de renda sobre o total da aplicação, que deverá ser pago na época do resgate. Há incidência de taxas de administração e de carregamento, e os resgates em prazo inferior a oito anos são penalizados com elevada tributação, caso o contribuinte opte pelo regime regressivo de tributação – que é o mais adequado para quem planeja sacar todo o fundo de uma só vez no futuro.

Vida gerador de benefício livre (VGBL)

- **O que é?** É como um seguro de vida que se transforma em aposentadoria, caso o segurado sobreviva. Como no PGBL, seu objetivo é automatizar um plano de independência financeira para, a partir de determinada data, obter direito a uma renda ou a um saldo resgatável.
- **Qual é o risco?** Baixíssimo risco, pois os recursos são investidos em fundos específicos de previdência, em que todos os cotistas têm objetivos semelhantes e de longo prazo.
- **Prós:** Diferentemente do PGBL, a tributação, no resgate, incide apenas sobre os lucros, passando a ser uma alternativa interes-

sante para quem já deduziu o imposto de renda sobre 12% dos ganhos anuais com a aplicação no PGBL.
- **Contras:** Há incidência de taxas de administração e de carregamento (que são o custo do serviço prestado), e os resgates em prazo inferior a oito anos são penalizados com elevada tributação, quando se opta pelo regime de tributação regressiva.

Ouro e dólar

- **O que são?** Investimentos tangíveis, que proporcionam maior proteção por estar fisicamente em poder de seus proprietários. Acompanham movimentos especulativos do mercado e são bastante suscetíveis a crises internacionais.
- **Qual é o risco?** No caso do dólar, o risco está na possibilidade de enfraquecimento da economia dos Estados Unidos. O ouro ainda é um metal precioso, mas a manutenção de seu valor a longo prazo é questionada por alguns analistas.
- **Prós:** Independentemente do que acontecer no mercado financeiro, se você estiver de posse do ativo, ele não poderá ser absorvido por uma instituição financeira.
- **Contras:** Poderão ocorrer perdas quando houver desvalorização do mercado desses ativos, existem restrições legais para sua negociabilidade (principalmente dólares) e há a necessidade de um investimento em segurança para sua proteção.

É importante discutir algumas características desses diferentes tipos de investimento.

As chamadas aplicações de renda fixa, em que você sabe quanto vai ganhar, não são o tipo de investimento que lhe possibilita fazer fortuna, a não ser que você conte com muito tempo para seu plano de riqueza.

Por essa razão, é importante que seu planejamento financeiro inclua uma meta de aprendizado e aperfeiçoamento contínuos. Talvez uma caderneta de poupança ou um plano de previdência (PGBL ou VGBL) sejam realmente as melhores alternativas para começar, o tipo de investimento no qual seu dinheiro deve estar no início de seu plano, se você começar do zero. Enquanto seu dinheiro cria volume, minha sugestão é que você leia sobre alternativas mais interessantes de investimento. Aprenda a investir em renda fixa, como um CDB ou títulos públicos. Veja as melhores alternativas do mercado, consulte pelo menos três ou quatro bancos. Procure conhecer algumas corretoras de valores. Ao abrir conta nesse tipo de instituição, você tem acesso aos mercados de ações e títulos públicos e não paga nada de taxa de manutenção, como nos bancos. Nas corretoras, você só paga pelos serviços que utiliza.

Jamais invista sem conhecer bem o terreno em que está colocando seu dinheiro. E não confie cegamente no gerente de seu banco. Ele também é um vendedor.

Com o tempo, você irá amadurecer seus conhecimentos sobre investimentos. Formando uma poupança de cerca de R$ 10.000,00, lhe serão abertas oportunidades para outras opções de investimento. Se estiver satisfeito com seu plano de previdência, seja mais arrojado nas demais escolhas.

Quantias maiores podem ser aplicadas em bons fundos de investimento. Fundos não são nada mais, nada menos que um monte de dinheiro de um monte de pessoas que se reúnem para ter acesso a investimentos pouco acessíveis a quem tem pouco dinheiro. Contratos de dólares, algumas ações de grandes empresas e outros tipos de investimento em geral são vendidos em contratos de algumas dezenas de milhares de reais.

O pequeno investidor, ao fazer parte de um fundo de investimentos, passa a ter acesso a esse tipo de aplicação, obtendo rentabilidades mais interessantes. Há, porém, toda uma estrutura para administrar um fundo, e essa estrutura custa caro. Todo fundo de investimentos cobra de seus cotistas (os participantes do fundo) uma taxa de administração, nem sempre informada pelo gerente de conta do banco. *Muitas vezes, a taxa de administração do fundo atinge níveis absurdos, comprometendo grande parte da rentabilidade obtida pelo investidor.* Bancos de varejo, aqueles em que mantemos nossas contas-correntes, em geral são mais ineficientes na gestão dos fundos, por isso chegam a cobrar taxas de até 3% ou 4% ao ano. *Independentemente do que sua aplicação render no ano, a taxa será abatida desse número. Procure fundos mais eficientes, com taxas da ordem de 1% ou menos para a renda fixa, ou só aceite pagar mais na renda variável se seu fundo lhe oferecer ganhos acima da variação do Índice Bovespa.*

Fuja das altas taxas de administração de fundos, a não ser que o gestor do fundo justifique a cobrança com um desempenho histórico acima da média do mercado.

Em finanças, há relação direta entre a expectativa de retorno que se pretende de um investimento e o risco que será necessário correr para consegui-lo. Meus primeiros exemplos são de caderneta de poupança, planos de previdência, CDBs e fundos de investimento em renda fixa por se tratar de investimentos de menor risco. Se a taxa de rentabilidade que você deseja para seu plano de enriquecimento está por volta dos 15% ao ano ou mais, você terá que se sujeitar a correr alguns riscos. Se seu objetivo não é correr riscos, esses investimentos são adequados a seu perfil.

Mas, a partir do momento em que você se decide por investimentos de risco, é fundamentalmente necessário passar a dedicar tempo ao estudo desse tipo de investimento.

Investir não é somente aplicar na poupança. Investir é também comprar barato e vender caro. Alguns optam por se especializar na compra e venda de imóveis. Procuram pechinchas e as vendem pelo real valor de mercado. Quem já procurou imóveis em uma imobiliária deparou com a pergunta: "O que o senhor (ou a senhora) procura é para morar ou para investir?" O corretor imobiliário sabe que aqueles que querem um imóvel para morar darão valor a aspectos que nem sempre se refletem no valor de mercado, como a beleza do jardim, a ventilação da casa, a vista da janela, a facilidade de uma padaria próxima. *Por valorizar tais aspectos, muitas vezes estarão dispostos a pagar preços que incluem as qualidades detectadas pelo proprietário original. Quando se está procurando um imóvel para investir, na percepção dos corretores, o objetivo é qualquer imóvel que valha menos que um "para morar" valeria – o ideal é que valha muito menos – e não seja difícil revender no futuro. Tais qualidades não são fáceis de conseguir. Em geral, dependem de um proprietário realmente interessado em se desfazer do imóvel, como acontece em casos de herança, viagem súbita para o exterior, separações conjugais e problemas financeiros.*

É assim que se ganha dinheiro no mercado imobiliário. Os "que investem", com capital e tempo para esperar uma oportunidade, compram imóveis dos "desesperados para vender", e então esperam a oportunidade de encontrar um "que quer morar", que lhes pagará preço maior. Para conseguir esse preço, o corretor muitas vezes usa todas aquelas técnicas de vendas que mencionei quando tratei do exemplo da loja de móveis. Assim, aquele que quiser investir no mercado imobiliário não dependerá apenas de sua decisão. É preciso conhecer imóveis, conhecer as imobiliárias, de preferência ter alguns corretores de confiança, visitar as imobiliárias com frequência, manter o foco em um mercado específico (ninguém consegue estar informado sobre todos os tipos de imóvel de todas as regiões de uma grande cidade) e constantemente atualizar informações e conhecimentos. Em outras palavras, será preciso ser um profundo conhecedor do assunto se não quiser perder dinheiro em seus investimentos.

Isso vale para todo tipo de investimento. Alguns escolhem imóveis, outros escolhem títulos do governo. É possível investir em artigos colecionáveis, como obras de arte, e também em empresas através de ações ou de participações significativas em negócios.

Qualquer que seja seu investimento, haverá algum tipo de risco.

Mas, para aquele que domina as informações sobre o investimento, em geral as perdas serão bem menos frequentes do que para os leigos.

Sempre que alguém perde dinheiro em um investimento, isso ocorre porque uma outra pessoa saiu ganhando. Em geral esse outro é mais bem informado.

ESTEJA PRONTO PARA AS OPORTUNIDADES

Não faltam informações sobre as infinitas alternativas de investimento para seu dinheiro. A internet talvez seja a fonte mais rica de informação de baixo preço e boa qualidade. Tudo o que você precisa saber sobre investimentos em fundos, planos de previdência, CDBs, ações, negócios e títulos está lá à disposição, basta ter algum tempo para pesquisa.

Grande parte dos livros de finanças pessoais à venda nas livrarias destina-se a ensinar o investidor iniciante a selecionar adequadamente suas aplicações. Garanto que todo o tempo investido nesse tipo de aprendizado será recompensado por seus ganhos de rentabilidade.

Em quase todas as minhas palestras e cursos de finanças pessoais fui consultado sobre a ideia de planos de previdência privada. Tornou-se uma verdadeira febre entre os gerentes de banco oferecer produtos que garantam a aposentadoria, e muitas pessoas estão optando por esse tipo de investimento.

Como qualquer tipo de investimento de renda fixa, um plano de previdência privada, conhecido também pelas siglas PGBL e VGBL, é um limitador de ganhos. Você sabe quanto vai ganhar, sabe que vai abater as aplicações do imposto de renda (mas nem sempre o alertam sobre a obrigatoriedade de pagar esse imposto lá na frente, na hora dos saques) e sabe que terá uma renda certa na aposentadoria. Sem dúvida alguma, é um tipo de aplicação a ser considerado por quem:

- *Não tem tempo para analisar alternativas de investimento.*
- *Tem um bom prazo para formar sua poupança.*
- *Não quer administrar riscos.*

- *Sente-se satisfeito com a renda a ser gerada no final do plano.*
- *Não possui um seguro de vida ou uma reserva para seus dependentes em caso de acidentes (no caso do VGBL).*

Se esse for seu único investimento planejado para longo prazo, certifique-se de que seu PGBL ou VGBL gerará renda suficiente para cobrir com segurança seus gastos, depois de pagar o imposto de renda.

Pessoalmente, recomendo a meus alunos e leitores que se organizem para fazer o próprio plano de aposentadoria e que invistam em um plano de previdência privada apenas o necessário para sua proteção e o suficiente para garantir o abatimento do imposto de renda da pessoa física. Oriento-os dessa forma porque um plano desse tipo trará rentabilidade maior que as de alguns investimentos populares, porém perderá em termos de rentabilidade para a maioria das alternativas de investimento. Outro ponto negativo é o "engessamento" do capital. Não será possível retirar seu dinheiro de um plano desse tipo quando você quiser, a não ser que aceite pagar uma pesada penalização em tributos. Previdência é para longo prazo, definitivamente.

A grande sacada de um bom investidor é manter a maior parte de seu dinheiro em investimentos que lhe tragam a melhor rentabilidade de baixo risco possível (algo da ordem de 6% a 10% ao ano, como vimos), mas ficar constantemente preparado e alerta para investir em novas oportunidades.

O investidor em imóveis não mantém todo o seu dinheiro em imóveis. Ele mantém seu dinheiro bem remunerado em uma boa renda fixa. Quando surge uma oportunidade de investir em imóveis, ele tem sua poupança para aproveitar o fato.

O mesmo faz o investidor em ações, que está sempre estudando as perspectivas das poucas empresas cujo comportamento ele conhece muito bem em termos de preços de ações. Assim que o mercado reduz o preço de negociação desses papéis, o investidor entra em alerta para a hora certa de comprar. O investidor em obras de arte sabe que alguns artistas são muito conhecidos em certas regiões e pouco conhecidos em outras. Ele estuda muito bem os preços das obras desses artistas para procurá-las a valores abaixo do mercado em leilões de arte.

Sempre que houver oportunidade de investimento, a disponibilidade de dinheiro será a diferença entre ficar mais rico ou permanecer como está. Daí a importância da flexibilidade do dinheiro para aproveitar grandes oportunidades de ganho – desde ações e imóveis até bens de pessoas em dificuldades financeiras.

Há uma frase, cuja autoria desconheço, que utilizo como uma verdadeira regra de vida. Creio que lhe fará muito bem tê-la em mente sempre que precisar tomar uma decisão:

Nunca uma oportunidade é perdida, haverá sempre alguém para aproveitar aquelas que você deixar passar.

Em alguns casos, é preciso arriscar se desejarmos crescimento mais rápido. Mas, se seu desejo não é deixar suas finanças em ruínas, jamais tome uma decisão de investimento sem conhecer plenamente aquilo em que está colocando seu dinheiro.

Em um de meus primeiros empregos, em um banco, conheci um colega de trabalho que, apesar de muitos contatos no mercado financeiro, era extremamente conservador em seus investimentos. Como *trainee* do banco, ganhava cerca de R$ 1.500,00 por mês e conseguia poupar R$ 500,00, que eram aplicados em um CDB que rendia, na época, cerca de 20% ao ano, brutos (antes de impostos).

O banco em que trabalhávamos costumava leiloar os veículos da diretoria após três anos de uso a preços cerca de 20% abaixo do valor de mercado, e somente os funcionários podiam participar do leilão. Lembro que meu colega tinha uma poupança acumulada de cerca de R$ 30.000,00 que, seguindo a rentabilidade de 20% ao ano, deveria lhe gerar uma renda de R$ 6.000,00 no ano seguinte. Ele não pensou duas vezes para efetuar um resgate de R$ 25.000,00 de sua renda fixa para comprar um carro muito bem conservado, que um mês depois seria vendido por R$ 29.000,00.

Em apenas um mês, ele conseguiu rentabilidade bruta de 16%.[7] Nada mau, não? Esse exemplo deixa clara a importância da flexibilidade dos recursos.

TEMOS UM PLANO COMPLETO!

Vejamos os principais pontos de nosso plano de independência financeira:

1. *Dedique tempo à construção de seu plano no papel ou em uma planilha eletrônica.*
2. *Relacione todas as suas fontes de recursos financeiros e todos os seus gastos mensais.*
3. *Identifique suas possibilidades de redução de gastos e estabeleça limites para os gastos não programados.*
4. *Após otimizar seus gastos mensais, identifique de forma precisa o preço de sua sobrevivência, quanto você gasta mensalmente com segurança.*
5. *Calcule quanto sobra de sua remuneração para possíveis investimentos mensais.*
6. *Estude algumas alternativas de investimento para o volume de recursos que você tem hoje e estabeleça uma meta realista de taxa de juros real possível para fazer seu dinheiro crescer a juros compostos. Essa será a taxa utilizada em suas simulações de renda futura.*
7. *Estipule uma meta para seu futuro: a) que renda você pretende ter ao se aposentar; e b) durante quanto tempo pretende poupar.*
8. *Determine a massa crítica necessária para sustentar sua renda de aposentadoria com base em uma taxa de juros realista e de baixo risco.*

---

[7] (R$ 29.000 ÷ R$ 25.000) − 1 = 0,16 ou 16%.

9. *Determine quanto será realmente poupado, e durante quanto tempo, para formar a massa crítica. Verifique se essas condições são compatíveis com suas possibilidades e expectativas. Se não o forem, estabeleça novos prazos ou corte mais gastos de sua sobrevivência. Faça algumas simulações para certificar-se de que escolherá o melhor plano de vida.*
10. *Lembre-se de que esse será um compromisso assumido consigo mesmo e o valor mensal dos investimentos aumentará a cada mês com a inflação, obrigando-o a cortar outros gastos ou a aumentar a renda.*
11. *Mantenha-se em constante atualização sobre alternativas de investimento e busque sempre aquelas das quais tem o domínio dos riscos.*
12. *Faça planos para as mudanças de vida que ocorrerão com a independência financeira.*
13. *Mantenha-se fiel a seus planos, seja disciplinado. O prêmio vale a pena.*

6
Agora é com você

*"A disciplina é a alma de um exército;
torna grandes os pequenos contingentes,
proporciona êxito aos fracos e estima a todos."*
GEORGE WASHINGTON (1732-1799)

CUIDADO COM OS PONTOS FRACOS DO PLANO

Dar início a um plano de independência financeira é a parte mais difícil de todo o processo. Requer o rompimento com uma série de bloqueios e maus hábitos financeiros, além de forte disciplina daquele que planeja e da conscientização de seus familiares.

Uma vez posto em prática, um plano de independência financeira tende a evoluir naturalmente. À medida que seu dinheiro for crescendo, o interesse e o acesso a investimentos mais complexos e mais rentáveis também crescerão. Seu banco passará a lhe enviar informações sobre investimentos adequados a patrimônios maiores. Isso não significa que será a hora de aproveitar essas ofertas, e sim que será a hora de conhecer novos produtos de investimento com maior profundidade. Mantendo o foco no futuro e pensando como rico, seu plano o levará a atingir seus objetivos financeiros.

Mas a natureza humana nos torna suscetíveis a arruinar nosso plano se não estivermos atentos aos erros comuns daqueles que não atingem seus objetivos financeiros. É muito importante para seu futuro que você se mantenha consciente de cada um dos pontos listados a seguir.

Os sete mandamentos do bom investidor:

1) *Jamais ignore os efeitos da inflação, tanto sobre os juros de seus investimentos quanto sobre o valor de suas aplicações periódicas.*
2) *Vença seus impulsos de consumo, não assuma compromissos fora de seu plano.*
3) *Inclua entre seus gastos com bem-estar o investimento mensal em um plano de saúde ou, se você ainda for jovem, em um fundo dedicado exclusivamente a pagar seus gastos com saúde.*
4) *Conscientize seus filhos da importância do planejamento financeiro.*
5) *Busque continuamente novas informações sobre seus investimentos e sobre novos investimentos (o mercado financeiro muda com incrível velocidade).*
6) *Seja conservador em suas projeções. Não conte com promoções, bônus e aumentos de salário. Não conte com heranças e prêmios. Não conte com a sorte. Caso isso ocorra e lhe traga um dinheiro inesperado, será então o momento ideal de rever seus planos, antecipando a aposentadoria ou planejando um padrão de vida melhor na velhice.*
7) *Ajuste seu padrão de vida para comportar seus investimentos, mas jamais deixe de destinar gastos e tempo para diversão, cuidados pessoais e lazer. Sua mente estará bem se seu corpo também assim estiver. De nada adiantará fazer planos para atingir mais de 100 anos se você não tiver disposição para vivê-los.*

CUIDADO AO ASSUMIR COMPROMISSOS

Nem sempre são os grandes compromissos que arruínam nossos planos financeiros. São os pequenos gastos que sempre fogem ao nosso controle. Controlar esses pequenos desperdícios requer pulso firme e atenção. Requer limites impostos ao controle de gastos nos pequenos "imprevistos" ou luxos do dia a dia. Estar atento a esse tipo de gasto resolve grande parte das indesejáveis compras por impulso. A atenção é a principal ferramenta de controle dos pequenos gastos diários.

Quando estamos diante de gastos de longo prazo, aqueles que geram impactos em nosso orçamento durante vários meses, é preciso mais que atenção. É necessário que se incluam tais despesas nos planos, não esquecendo de incluir também todas as consequências que virão com elas.

Adquirir um carro não significa arcar apenas com seu valor de compra. É preciso considerar também gastos com combustível, seguro, manutenção e estacionamento. A simples troca de um carro mais simples por outro melhor, com motor mais potente, implica maiores gastos com combustível.

Não estou pregando aqui que você ande por toda parte com um notebook ou uma calculadora nas mãos fazendo cálculos e simulações. Seu planejamento deve ter, no mínimo, uma revisão mensal para verificar gastos que surgiram ou que deixaram de existir, ajustes nos gastos com segurança. Se houver sobras, o valor dessas sobras será a dimensão dos compromissos que você suporta assumir.

Não saia às compras sem saber quanto pode gastar.

Saiba quanto pode ser gasto antes de gastar. Essa consideração deve ser feita antes de assumir qualquer compromisso firme de gasto, como um financiamento. Aliás, nunca se esqueça de que você terá mais riqueza se, em vez de financiar, fizer uma poupança específica para a compra à vista de um bem.

Tenha como componente de seu balde de gastos com luxo investimentos específicos em novos planos, na troca do carro ou da casa ou na aquisição de equipamentos de alto valor. Se ocorrer algum imprevisto, é esse tipo de plano que deve ser suspenso, e não o seu plano de independência financeira.

DÍZIMOS E DOAÇÕES

Sugiro que concentre atenção especial nesse ponto. Doar é uma das formas de agradecer por aquilo que conseguiu, tanto no sentido espiritual quanto no sentido da vida em coletividade. Se espiritualidade não é seu forte, deveria experimentar a incrível sensação de dar a alguém que tem muito menos que você aquilo que o fará deixar de passar fome.

Sou bastante cético em relação ao aspecto da doação, e muitos talvez não concordem comigo.

Assumir o compromisso de ajudar financeiramente uma família ou uma instituição de caridade é uma decisão séria. Deve haver comprometimento, e você deve estar consciente de que será capaz de arcar com esse gasto.

Não acredito ser sensato passar a vida ajudando os outros para, no final, não ter recursos para a própria sobrevivência. Por isso, considero a doação um gasto que deve fazer parte do balde de gastos com bem-estar, um balde cujo tamanho é limitado em relação ao outro balde que você deve encher, o dos investimentos.

Se você for uma pessoa consciente da importância da doação, perceberá que, à medida que seu patrimônio cresce, sua capacidade de doar também cresce. Aquele que não consegue poupar devido à necessidade de doar terá praticado a caridade durante o período produtivo de sua vida, enquanto tiver salário. Ao se aposentar, não terá mais condições de doar e, se o fizer, será com pequenas contribuições. Além de ter prejudicado a sustentabilidade de seu padrão de vida, estará prejudicando também a sustentabilidade do atendimento daqueles que passaram a depender de suas contribuições. Já aquele que constrói seu futuro com solidez terá a garantia de que poderá contribuir financeiramente para os necessitados por prazo infinito, pois terá renda sem trabalhar.

Já afirmei que não considero o salário do trabalhador como renda. Renda é aquilo que é gerado com segurança pelo patrimônio próprio de cada um. Por isso, se há a necessidade de contribuir com uma parcela da renda para ajudar o próximo, que seja com uma parcela da renda de seus investimentos. Esse tipo de contribuição pode até parecer ínfimo no início de um plano de independência financeira, mas aumentará a cada mês, chegando talvez a números grandiosos de acordo com suas ambições.

DÚVIDAS QUE UM DIA PASSARÃO POR SUA CABEÇA

"E se eu perder o emprego?"

A grande preocupação do trabalhador assalariado, independentemente do nível hierárquico que ocupe ou do salário que receba, é com a perda do emprego. Muitos se convencem de que é melhor adquirir bens fixos, como imóveis, para garantir pelo menos aquilo que têm. Não existe muita coerência nesse raciocínio, pois, se há um plano de independência financeira em curso, haverá algum dinheiro na poupança para sustentar alguns meses de procura de emprego. Na prática, o desemprego seria, então, um adiamento do plano, e não seu cancelamento definitivo.

"E se o banco ou o governo sumir com meu dinheiro?"

Outra preocupação é com a estabilidade dos sistemas político e financeiro. Temos, no Brasil, duras lembranças do chamado "confisco da poupança" que o governo Collor impôs à população, e isso assusta a muitos que mantêm seus investimentos em bancos. O fato de vivermos em uma economia em desenvolvimento com efeito traz algumas incertezas quanto ao futuro, mas eu definitivamente não recomendo a postura de pânico.

Práticas como o confisco da poupança não roubam dos investidores seu dinheiro, apenas os impedem de utilizá-lo durante certo período para não estimular o desequilíbrio econômico (através, por exemplo, da compra desenfreada de dólares, elevando seu preço de forma irreal, como aconteceu na Argentina no início do século). No Brasil, quem mais perdeu com o confisco do governo Collor foram os aposentados, que dependiam dos saques mensais da poupança para pagar seus gastos com bem-estar. Hoje, esse cenário é inimaginável, pois não há motivos para conter a circulação de dinheiro no Brasil.

Situação mais grave ocorre quando um banco passa por problemas e quebra, deixando de ter condições de devolver a seus correntistas e investidores o dinheiro a ele creditado. Isso não acontece com frequência, e hoje o Brasil pode orgulhar-se de ter um sistema financeiro exemplar, pois o Banco Central age diariamente nos bancos para evitar que ocorra o risco de quebra de um deles.

Mesmo assim, para evitar esse tipo de problema, é muito importante seguir uma lição básica de finanças: *Nunca ponha todos os ovos em uma única cesta.*

Nunca deixe todo o seu dinheiro em um único tipo de investimento. Diversifique os bancos em que investe. Após conseguir a independência financeira, não dependa da poupança para alimentar sua aposentadoria: tenha uma parte de sua renda em investimentos que não possam ser confiscados, como aluguéis. A partir do momento em que se atinge a independência financeira, mais importante que a rentabilidade é a segurança, e essa deve ser sua prioridade no futuro.

"E quando eu morrer? Vou deixar um dinheirão?"

Já fui questionado algumas vezes sobre o destino de tanto sacrifício. Quando morrermos, todo aquele dinheiro investido vai ficar para nossos filhos ou para aqueles que tenham direito a nossa herança? Minha proposta é que sim.

Se não sabemos até quando vamos viver, não é sensato fazer planos de extinção de nossa fonte de renda. A ideia de independência financeira trata de uma renda infinita.

A grande preocupação seria, a meu ver, com o destino de nossos investimentos após a morte, e isso pode ser resolvido com um simples testamento. É grande a importância da educação financeira de nossos filhos. É essencial que eles se conscientizem de que devem construir sua poupança e sua independência financeira para manter um padrão de vida cada vez melhor.

Quem constrói um patrimônio de bens físicos, como imóveis e coleções de arte, passa a seus filhos uma herança de bens físicos. Quem constrói um patrimônio financeiro passa a seus filhos a garantia de um padrão de vida seguro, desde que eles tenham sido educados para cuidar de seu dinheiro.[1] Se seus filhos nascem em uma família cujo padrão de vida está garantido e têm a clara compreensão da importância do planejamento financeiro, é bem provável que sonhem com um padrão de vida cada vez melhor.

Se a ideia é fazer com que seus filhos corram atrás do sucesso em vez de lutar por uma herança, talvez você não queira deixar uma grande quantia de dinheiro nas mãos deles. Está aí uma excelente oportunidade de doar, contribuindo para aqueles que necessitam, agradecendo a Deus por tudo o que você conseguiu na vida. É uma decisão pessoal definir no testamento o destino de seu legado.

---

[1] Sobre como educar financeiramente seus filhos, leia *Pais inteligentes enriquecem seus filhos*, Gustavo Cerbasi (Rio de Janeiro: Sextante, 2011).

VOCÊ NÃO É O ÚNICO QUE TEM A GANHAR

Eu, sinceramente, adoraria que você ficasse muito rico. E não é somente em razão de seu bem-estar ou sua tranquilidade, que certamente são muito importantes para mim como autor e consultor. Será fantástico poder compartilhar com meus leitores, daqui a alguns anos, o benefício que o planejamento lhes terá proporcionado em termos de bem-estar. Mas o benefício gerado pela riqueza irá muito além do seu bem-estar e do bem-estar dos seus filhos.

Uma das limitações da economia brasileira está na falta de poupança da população. Vimos que os bancos são instituições que usam o dinheiro de alguns para emprestá-lo àqueles que não dispõem de recursos mas possuem oportunidades de investimento. Se hoje muitos brasileiros preferem investir em bens materiais e se sentem bem com isso, outros estão perdendo oportunidades de investir porque não há recursos suficientes nos bancos para financiá-los. Como os bancos têm de oferecer juros altos para atrair recursos para a poupança, as taxas de juros dos financiamentos também acabam custando caro.

Se seu plano financeiro de investimentos é construído com disciplina, veja como todos ganham:

- *Você ganha porque estará construindo um futuro tranquilo.*
- *Os necessitados ganham, pois com a vida estável haverá maior disposição para a doação e mais oportunidades de emprego.*
- *Seus filhos ganham, pois herdarão renda, e não bens (a renda pode continuar crescendo no tempo).*
- *Os bancos ganham se você investir em ativos financeiros.*
- *Corretores ganham se você investir em ativos reais, como imóveis, ações e obras de arte.*
- *A economia como um todo ganha, pois, a partir do momento em que as pessoas se conscientizarem da importância de poupar e investir, haverá mais dinheiro disponível girando na economia, o que fará com que os juros caiam.*

Pode parecer paradoxal a ideia da queda de juros para quem pensa em investir. Quando isso ocorre, porém, há mudança para melhor na economia. Quando os juros são baixos, os financiamentos ficam também baratos. Com juros de financiamento baratos, passa a ser interessante a ideia de tomar dinheiro emprestado para empreender, montar novos negócios, gerando empregos e desenvolvimento. As empresas geram lucros para pagar os juros dos financiamentos e para aumentar o patrimônio de seus sócios.

Perceba como todos ganham, a longo prazo, com sua decisão de enriquecer. Essa ideia não é utópica, pois foi exatamente o que levou os Estados Unidos a passar por um longo período de prosperidade entre os anos 1950 e 1990. Felizmente, essa começa a ser uma realidade no Brasil do início do milênio, que está passando por profundas mudanças decorrentes da expansão dos empregos, da renda, dos investimentos e do bem-estar. A história deste país outrora chamado de subdesenvolvido está sendo reescrita, e a base da nova história é a acumulação de riquezas. Os brasileiros estão lidando cada vez melhor com o dinheiro, estão vivendo com menos problemas e estão mais felizes.

É por isso que eu adoraria que você ficasse rico. Porque confio que você seja uma pessoa de bem e, no dia em que se tornar rico, irá ajudar muita gente a ser feliz.

7
Cuide do mais importante

    Era uma vez um jovem que recebeu do rei a tarefa de levar uma mensagem e alguns diamantes a um outro rei de uma terra distante. Recebeu também o melhor cavalo do reino para levá-lo na jornada. "Cuida do mais importante e cumprirás a missão!", disse o soberano ao se despedir. Assim, o jovem preparou seu alforje, escondeu a mensagem na bainha da calça e colocou as pedras preciosas numa bolsa de couro amarrada à cintura, sob as vestes. Pela manhã, bem cedo, sumiu no horizonte. E não pensava sequer em falhar. Queria que todo o reino soubesse que era um nobre e valente rapaz, pronto para desposar a princesa. Aliás, esse era seu sonho e parecia que a princesa correspondia a suas esperanças.

    Para cumprir rapidamente sua tarefa, por vezes deixava a estrada e pegava atalhos que sacrificavam sua montaria. Assim, exigia o máximo do animal. Quando parava em uma estalagem, deixava-o ao relento, não o aliviava da sela nem da carga, tampouco se preocupava em dar ao animal de beber nem em providenciar alguma ração. "Assim, meu jovem, acabarás perdendo o cavalo", disse alguém. "Não me importo", respondeu ele. "Tenho dinheiro. Se este morrer, compro outro. Nenhuma falta fará!"

Com o passar dos dias e sob tamanho esforço, o pobre animal não suportou mais os maus-tratos e caiu morto na estrada. O jovem simplesmente o amaldiçoou e seguiu o caminho a pé. Mas nessa parte do país havia poucas fazendas e eram muito distantes umas das outras. Passadas algumas horas, ele se deu conta da falta que lhe fazia o animal. Estava exausto e sedento. Já havia deixado pelo caminho toda a tralha, com exceção das pedras, pois lembrava a recomendação do rei: "Cuida do mais importante!" Seu passo se tornou curto e lento. As paradas eram frequentes e longas.

Como sabia que poderia cair a qualquer momento e temendo ser assaltado, escondeu as pedras no salto da bota. Mais tarde, caiu exausto à beira da estrada, onde ficou desacordado. Para sua sorte, uma caravana de mercadores que seguia viagem para o reino o encontrou e cuidou dele.

Ao recobrar os sentidos, viu-se de volta a sua cidade.

Imediatamente foi ter com o rei para contar o que havia acontecido e, com a maior desfaçatez, pôs toda a culpa do insucesso nas costas do cavalo "fraco e doente" que recebera. "Majestade, conforme me recomendaste, cuidei do mais importante: aqui estão as pedras que me confiaste. Devolvo-as a ti. Não perdi uma sequer." O rei as recebeu de suas mãos com tristeza e o despediu, mostrando completa frieza diante de seus argumentos. Abatido, o jovem deixou o palácio.

Em casa, ao tirar a roupa suja, encontrou na bainha da calça a mensagem do rei, que dizia: "Ao meu irmão, rei da terra do Norte. O jovem que te envio é candidato a casar-se com minha filha. Essa jornada é uma prova. Dei a ele alguns diamantes e um bom cavalo. Recomendei que cuidasse do mais importante. Faz-me, portanto, um grande favor e verifica o estado do cavalo. Se o animal estiver forte e viçoso, saberei que o jovem aprecia a fidelidade e a força de quem o auxiliou na jornada. Se, porém, perder o animal e apenas guardar as pedras, não será um bom marido nem um bom rei, pois terá olhos apenas para o tesouro do reino e não dará importância à rainha nem àqueles que o servem."

Comparo essa história com o ser humano que segue sua jornada na vida tão preocupado com seu exterior, isto é, com os bens, que tudo guarda como se fosse ouro, esquecendo-se de alimentar sua alma e seu espírito com a alegria e o amor de Deus. Certamente não cumprirá a missão, já que não sabe guardar o que é mais importante!

AUTOR DESCONHECIDO

Muitos permanecem descrentes em relação a cortar gastos, mesmo tendo lido o que escrevi até aqui. "Como gastar menos do que ganho se ganho tão pouco?", eis a pergunta que sempre me é feita. Lembre-se de duas coisas fundamentais para sua sobrevivência:

1) *NÃO GASTE ALÉM DE SUAS POSSES. Se você não consegue poupar, é porque resolveu ter um padrão de vida maior que suas posses. Não hesite, corte gastos, não deixe essa situação de conforto ilusório se prolongar. É como um vício: não se consegue largar porque está muito bom, e quando percebemos já é tarde. Dívidas enormes nos levarão a uma vida amargurada, com vergonha de nossa ficha cadastral, fugindo de credores. Normalmente, "cair na real" não é suave. Acontece de uma vez, quando nosso limite de cheque especial estoura. Não espere para passar por essa humilhação. Mude agora.*

2) *AS COISAS MAIS IMPORTANTES DA VIDA NÃO CUSTAM NADA. Quanto custa o carinho da pessoa que você ama? Quanto custa o abraço de um filho? Quanto custa uma boa conversa com amigos? Quanto custavam aquelas coisas que o faziam feliz quando criança, como um banho demorado ou ver a chuva da janela? Muitas das coisas que nos dão prazer verdadeiro são postas em segundo plano para buscarmos coisas secundárias. Muitas vezes não temos tempo para curtir aquilo que é importante e gratuito, mas temos para curtir aquilo que é secundário e nos consome alguns reais.*

Não seja uma pessoa de cinco minutos. Não reserve apenas cinco minutos para curtir seu filho, não reserve apenas cinco minutos para beijar sua esposa ou seu marido. Dedique mais tempo a você e a sua família. Não deixe passar o dia de hoje para curtir somente o amanhã. Não faça seus planos para curtir somente após os 60 anos. *Remunere-se primeiro.*

Não deixe de curtir seus amigos, não deixe de dividir a conta do restaurante – mas faça seus planos e mantenha-se fiel a eles. Há um ensinamento chinês muito bonito e importante que trata da relação que é preciso ter com o dinheiro:

O DINHEIRO
Ele pode comprar uma casa, mas não um lar.
Ele pode comprar uma cama, mas não o sono.
Ele pode comprar um relógio, mas não o tempo.
Ele pode comprar um livro, mas não o conhecimento.
Ele pode comprar um título, mas não o respeito.
Ele pode comprar um médico, mas não a saúde.
Ele pode comprar o sangue, mas não a vida.
Ele pode comprar o sexo, mas não o amor.

Se você acha que será feliz somente quando tiver muito dinheiro, lamento dizer que isso é pura ilusão. A felicidade se constrói no dia a dia, a cada momento. E dinheiro não é um objetivo, não é a felicidade. Dinheiro é como um cupom que lhe proporciona meios de curtir aquilo que você ama ou aprecia muito. Não deixe de curtir, pois, se o fizer, amanhã será um chato e não terá nem amigos nem saúde para desejar viver.

Pensando e agindo da forma que sugeri neste livro, você será uma pessoa rica em todos os sentidos da palavra *riqueza*. Seguindo essa receita, que não é difícil, o *mínimo* que conseguirá será a independência financeira e a tranquilidade até o fim da vida. E talvez essa tranquilidade faça sua vida durar mais.

Seja feliz. E bons investimentos.

Não pare por aqui

Lembre-se também de que o conhecimento é infinito. Recomendo que você consulte as seguintes fontes:

Outros livros. Em minhas obras abordo diferentes temas que se complementam, no intuito de transmitir as orientações que se mostraram eficazes em atendimentos pessoais.

- *Casais inteligentes enriquecem juntos* (Sextante);
- *Pais inteligentes enriquecem seus filhos* (Sextante);
- *Investimentos inteligentes* (Sextante);
- *Mais tempo, mais dinheiro* (Sextante);
- *Os segredos dos casais inteligentes* (Sextante);
- *Como organizar sua vida financeira* (Sextante);
- *Adeus, aposentadoria* (Sextante);
- *A riqueza da vida simples* (Sextante).

Site www.maisdinheiro.com.br. Nele você encontra artigos, vídeos, dicas, simuladores, venda de livros, sinopses dos meus livros, agenda e contatos para trabalhos e entrevistas.

Redes sociais:
- Facebook.com/GustavoCerbasiOficial
- Instagram.com/gustavocerbasi
- Twitter.com/gcerbasi
- Periscope.com/gcerbasi

Que você tenha uma vida muito rica, e também com muito dinheiro!

INICIATIVAS PARA SEU PROJETO PESSOAL
- Se você não adotou nenhuma iniciativa enquanto lia o livro, um bom momento para fazê-lo é agora. Sucesso!

Agradecimentos

A meus pais, Elza e Tommaso, pela inabalável dedicação à formação sólida e saudável proporcionada a mim e a minha irmã, Kátia.

A minha esposa, Adriana, por todo o carinho e motivação para virar cada página da vida e também por compartilhar comigo sucessos e insucessos na administração de nossos recursos, que resultaram em muitas das lições que transmito neste livro.

Ao amigo Roberto Shinyashiki, pela confiança depositada no meu trabalho e por me abrir as portas para o mundo das finanças pessoais através de uma rica troca de conhecimentos.

A meu grande professor e amigo José Roberto Securato, que me transmitiu sólidos conhecimentos tanto em sala de aula quanto fora dela.

A meus parentes e amigos, cujas experiências e conversas permitiram que, aos poucos, eu construísse uma vasta biblioteca de referências para meus trabalhos.

A Deus, por iluminar minhas escolhas diante de tantas oportunidades que a vida me oferece a cada dia.

CONHEÇA OS LIVROS DE GUSTAVO CERBASI

Mais tempo, mais dinheiro

Casais inteligentes enriquecem juntos

Adeus, aposentadoria

Pais inteligentes enriquecem seus filhos

Dinheiro: Os segredos de quem tem

Como organizar sua vida financeira

Investimentos inteligentes

Empreendedores inteligentes enriquecem mais

Os segredos dos casais inteligentes

A riqueza da vida simples

Dez bons conselhos de meu pai

Cartas a um jovem investidor

Para saber mais sobre os títulos e autores da Editora Sextante,
visite o nosso site e siga as nossas redes sociais.
Além de informações sobre os próximos lançamentos,
você terá acesso a conteúdos exclusivos
e poderá participar de promoções e sorteios.

sextante.com.br